Queen's University Belfast

7-NIGHT LOAN

Due Back
Anytime on the eighth day

Fine for Late Return
£2.50 per day

Short Loan Items
... cannot be renewed or reserved
... are not due back at the weekend

Opening Hours
Email library@qub.ac.uk
Telephone 028-9097-6135

SOCIOLINGUISTIQUE
DE LA LANGUE NORMANDE

Des mêmes auteur-es

Jones M.C., 2008, The Guernsey Norman French Translations of Thomas Martin : A Linguistic Study of an Unpublished Archive, Louvain, Peeters, 181 pages.

Ayres-Bennett W. & M.C. Jones (eds), 2007, The French Language and Questions of Identity, Oxford, Legenda, 244 pages.

Jones M.C. & Esch E. (eds), 2002, Language Change : The Interplay of Internal, External and Extra-Linguistic Factors. Contributions to the Sociology of Language, 86, Berlin/ New York, Mouton de Gruyter, 338 pages.

Jones M.C., 2001, Jersey Norman French : A Linguistic Study of an Obsolescent Dialect, Oxford, Blackwell, 239 pages.

Jones M.C., 1998, Language Obsolescence and Revitalisation, Oxford, Oxford University Press, 452 pages.

Bierbach C., Bulot T. (Dirs.), 2007, Les codes de la ville (Cultures, langues et formes d'expression urbaines), Paris, L'Harmattan, 300 pages.

Bulot T., Lounici A. (Dirs.), 2007, Ségrégation spatio-linguistique (Dynamiques socio-langagières et dit habitat populaire), Alger, ATFALONA/DKA, 288 pages.

Bulot T., 2006, La langue vivante (L'identité sociolinguistique des Cauchois), Paris, L'Harmattan, 223 pages.

Bulot T., Veschambre V. (Dirs.), 2006, Mots, traces et marques (Dimensions spatiale et linguistique de la mémoire urbaine), Paris, L'Harmattan, 246 pages.

Bulot T. (Dir.), 2004, Lieux de ville et identité (Perspectives en sociolinguistique urbaine) Volume 1, Paris, L'Harmattan, 207 pages.

Bulot T. (Dir.), 2004, Lieux de ville et territoires (Perspectives en sociolinguistique urbaine) Volume 2, Paris, L'Harmattan, 197 pages.

Bulot T. (Dir.), 1999, Langue urbaine et identité (Langue et urbanisation linguistique à Rouen, Venise, Berlin, Athènes et Mons), Paris, L'Harmattan, 234 pages.

Photographie de couverture : reproduction de carte postale (1907). Collection privée de Thierry Bulot.

MARI C. JONES ET THIERRY BULOT (DIRS.)

SOCIOLINGUISTIQUE DE LA LANGUE NORMANDE

(PLURALITÉ, NORMES, REPRÉSENTATIONS)

Avec la collaboration de :

**Patrice Brasseur, Catherine Bougy,
Etienne-Henri Charamon, Yves Chevalier,
Geraint Jennings, Yan Marquis et Christine Pic-Gillard**

L'Harmattan

© L'Harmattan, 2009
5-7, rue de l'Ecole polytechnique ; 75005 Paris

http://www.librairieharmattan.com
diffusion.harmattan@wanadoo.fr
harmattan1@wanadoo.fr

ISBN : 978-2-296-08160-4
EAN : 9782296081604

INTRODUCTION

UNE OU DES LANGUES NORMANDES ?
POLITIQUE LINGUISTIQUE ET TERRITORIALISATION[1]

Perspective historique

Il est souvent oublié, des deux cotés de la Manche, que la Normandie est un territoire linguistique morcelé[2]. Par suite de la défaite à Rouen, en 1204, de l'armée de Jean d'Angleterre contre Philippe Auguste de France, le duché de Normandie se vit fissurer : les Iles anglo-normandes ont continué à faire allégeance à la couronne anglaise et la Normandie continentale était dorénavant gouvernée depuis la France. Ainsi commença une rupture qui date déjà depuis 800 ans. Cependant, cette rupture sur le plan politique n'a pas entraîné une rupture linguistique. En effet, du fait que les Iles étaient aussi proches du territoire normand continental, beaucoup de liens économiques, législatifs et linguistiques se sont maintenus pendant plusieurs siècles – et des activités commerciales telles que la pêche représentaient sans doute une source importante de contact entre les communautés linguistiques normandes. L'historien guernesiais Le Patourel décrit ainsi la situation des îliens au Moyen-Age : « [they] were of the same racial blends

---

[1] Thierry Bulot et Mari C. Jones, sociolinguistes, respectivement de l'université de Rennes 2, PREFics-EA 3207 / Université Européenne de Bretagne (France) et de l'université de Cambridge (Royaume-Uni).
[2] On ne trouve que peu mention de cette réalité socio-historique dans les concepts de *langue régionale*, de *langue collatérale* (Eloy, 2004), dévolue partiellement à la langue normande. Au mieux, c'est dans un ouvrage publié en Belgique que (MicRomania, 1995) que l'on note le terme *langues transfrontalières* pour parler des espaces différenciés nationalement des langues d'oïl (dont la langue normande).

as the Normans of the Cotentin, they spoke the same dialect, with their own local variations, traded with the same money and lived under the same customary law » (1937 : 35).[3]

Cependant, malgré ces liens, toujours est-il que, à partir de 1204, les deux composantes du territoire normand se virent gouvernées par deux pouvoirs opposés, dont les disputes se déroulèrent souvent sur le champ de bataille. Pendant les siècles suivants, la crainte d'une invasion française mena à la fortification progressive et la mise de troupes en garnison à Jersey et à Guernesey. Cependant, contrairement à ce qu'on aurait pu penser – que ceci n'entraîna aucune anglicisation subite – se voit clairement à partir du fait qu'en 1563, une version française du rituel de l'église anglicane fut publiée pour les églises de Jersey et de Guernesey. Qui plus est, pour des raisons linguistiques, les îliens adoptèrent les enseignements protestants des Huguenots français (le calvinisme) au lieu d'embrasser le règlement de l'Église Tudor. Également, les Guernesiais qui voulaient devenir pasteurs dans cette église allaient souvent recevoir leur formation en France (plutôt qu'en Angleterre) et s'inscrivaient aux académies de Caen et de Saumur, par exemple. Ce fut surtout leur francophonie qui attira les réfugiés protestants dans les Iles pendant les persécutions religieuses, par exemple après la Révocation de l'Édit de Nantes en 1685, ainsi que les réfugiés politiques (dont Victor Hugo) à la fin du 18ième siècle et au début du 19ième siècle.

Cependant, il n'empêche qu'au 19ième siècle, la distance entre les territoires normands ne cesse de croître. En même temps que la Normandie continentale post-révolutionnaire s'orientait de plus en plus vers Paris, le territoire insulaire accueillait de plus en plus de résidents en provenance du Royaume-Uni – aussi bien des visiteurs à court terme (grâce au développement du tourisme et à l'invention du bateau à aubes)

---

[3] Le fait que les Iles anglo-normandes aient bénéficié d'un statut distinct de celui du royaume d'Angleterre est indiqué, entre autres, par leur appartenance au diocèse normand de Coutances jusqu'en 1568-1569.

que des immigrants à long terme. Avec le développement de l'horticulture, la boucle fut finalement bouclée – et l'économie des Iles se vit fermement intégrée à celle du Royaume-Uni, à la place de celle du continent. Les conséquences linguistiques en étaient claires : avant la fin du siècle l'on constatait que « the English language has, both in Guernsey and Jersey, made vast strides, so that it is difficult now to find a native even in the country parishes who cannot converse fairly well in that tongue » (Ansted et Latham, 1893 : 387).

Sur le plan linguistique, les Normandies continentale et insulaire n'ont jamais été plus éloignées l'une de l'autre qu'aux 20ième et 21ième siècles. Comme le démontre le Tableau 1, elles ont subi toutes les deux une forte régression de dialectophones natifs, et la diglossie qui existait entre le normand et la langue officielle du territoire commença à s'écouler à mesure que cette dernière pénétrait des lieux forts tels que le domaine de la famille.

Territoire	Locuteurs	Pourcentage de la population totale
Normandie continentale	17372	1%[4]
Jersey	2874	3.2%
Guernesey	1327	2.2
Serk	Une dizaine	1.7%
Aurigny	0	

Tableau 1. Le nombre de locuteurs du normand fin du 20ième siècle

---

[4] Ces données viennent des Données INSEE de l'enquête *Études de l'histoire familiale 1999* mises à la disposition de la DGLFLF par l'INED et particulièrement de la réponse à la question sur l'usage d'une autre langue que le français. Il n'y a pas à proprement parler de recensement démolinguistique sur le normand continental. Ces chiffres sont néanmoins à revoir à l'aune des enquêtes sociolinguistiques et, par exemple, en Pays de Caux le pourcentage – dans les discours déclaratifs – atteint 19% (Bulot, 2006) ; ils sont donc des indications provisoires et indicatives à mettre en lien avec les méthodologies de recensement retenues.

Et pourtant, les mécanismes linguistiques au sein de cette régression se sont révélés bien différents. Sur le continent, une sorte de nivellement se produit, avec la perte progressive des formes locales les plus saillantes. Dans les Iles, il s'agissait plutôt du simple remplacement d'une langue par une autre. Mais, chose intéressante, le normand décline sur tout le territoire pour des raisons sociolinguistiques très similaires : à savoir, l'immigration, l'inter-mariage et la stigmatisation – même si la situation fut bien sûr accélérée sur les Iles à cause de la deuxième guerre mondiale, quand un pourcentage élevé de la population fut évacué au Royaume-Uni pendant cinq ans (voir Jones 2001, 2008), situation qui contribua à l'anéantissement total du parler normand d'Aurigny. Le français standard garde toujours son statut de langue officielle par tous les territoires mais aujourd'hui son rôle dans les Iles est devenu quasiment cérémonial.

Perspective sociolinguistique

Les espaces normands constituent un terrain de recherche, un laboratoire des pratiques langagières très fertile pour le sociolinguiste, en particulier, et les conceptualisations sociolinguistiques en général ; cela dans la mesure où ils se situent dans un contexte inédit de *reconnaissance-naissance* (Marcellesi, 1986) de la langue. Selon les politiques linguistiques des États concernés, elle est différemment reconnue, pratiquée, déniée, revitalisée, aménagée… tant par les locuteurs que les différents acteurs de sa promotion ou de sa négation. Territorialisée par chacune des identités régionales, elle fonctionne de fait comme une *langue déterritorialisée*, une langue sans territoire légitime, sans espace linguistique de référence qui soient communs et perçus comme homogènes. Paradoxalement, là est peut-être l'origine de la revitalisation du normand : contraintes par les politiques linguistiques à se percevoir comme distinctes, les langues normandes ont chacune développé des stratégies de normalisation répondant à chacune des situations régionales et, ce faisant, disposent à ce jour, dans un contexte de minoration sociolinguistique global, d'outils éprouvés (manuels, documents sonores, écrits, patrimoniaux ou non,) et partageables permettant l'émergence d'une conscience communautaire non exclusive des appartenances nationales engageant à penser le plurilinguisme comme une ressource et non une malédiction (Felce, 2005).

Ainsi, dans un contexte récurrent de contacts de langues, les variétés continentales et insulaires du normand ont laissé une empreinte sur leurs langues concurrentes ; cela a eu pour résultat la création de variétés très marquées de français et d'anglais locaux. En outre, plusieurs parlers normands connaissent actuellement une revitalisation et, par conséquent, ont à faire face à des questions similaires vis-à-vis de la planification linguistique, questions qui provoquent et/ou émanent d'un mouvement complexe et en partie dialectique entre la prise de conscience des locuteurs de la pluralité de leurs identités et des discours qu'ils tiennent à propos de leur(s) langue(s) dont est le normand.

On comprendra que, dans un tel contexte, ces parlers fournissent la rare possibilité d'étudier la continuité effective d'une langue d'oïl dans des cadres linguistiques[5] et socio-politiques perçus et construits comme différents. Et pourtant, ces territoires sont encore très largement sous-exploités par la sociolinguistique. En d'autres termes, peu de recherches existent à l'heure actuelle en sociolinguistique du normand[6]. En France, il est fort probable que cette situation résulte de la forte tradition linguistique normative et puriste toujours répandue et posant que toute variété de français (ou de langues posées comme proches ou apparentées), à part la langue standard, est peu digne d'être étudiée ; c'est, selon toute probabilité, ce qui a

---

[5] La proximité linguistique du normand avec le français (au moins le français régional de Normandie) renvoie à une problématique plus sociale et idéologique que strictement linguistique : les frontières entre langues et, partant, les langues, sont des objets sociaux, construits quand les discours dominants les présentent comme des entités pré-existants à leurs usages, discours et observations.

[6] Il faut citer le travail pionnier mais sans lendemain de Jean-Baptiste Marcellesi (Marcellesi et Prudent, 1982).

empêché l'élaboration, pour ces formes et normes régionales, d'une sociolinguistique variationniste à l'intérieur de l'Hexagone et distingué le développement de la linguistique en France de son homologue dans le monde anglo-saxon[7]. Au Royaume-Uni, en effet, même si les Iles n'ont pas échappé à l'attention du monde universitaire, elles se maintiennent toujours aux marges de la linguistique française – n'étant française ni sur le plan géographique ni sur le plan linguistique.

Paradoxalement, la Charte Européenne des Langues Régionales ou Minoritaires, considérée jusqu'à présent la démarche la plus concrète faite par l'Union Européenne pour la promotion de ses minorités linguistiques, s'est avérée singulièrement infructueuse vis-à-vis des deux communautés linguistiques normandes[8]. La France a signé la Charte en 1999 mais pour ne pas la ratifier en raison du fait que ceci était en violation de l'Article 2 de la Constitution de 1958 : '*la langue de la République est le français*'. En fait, le débat n'est pas vraiment clos et la demande sociale se fait pressante même si elle ne vient pas des lieux sociaux où on l'attend. En effet, le débat de mai 2008 à l'Assemblée Nationale sur les langues régionales en France montre à la fois la permanence des avis de l'État français sur la non-ratification de la Charte (via les propos de Christine Albanel, Ministre de la culture) et à la fois

---

[7] Malgré cette réticence (peut-être ancrée dans l'idéologie) à se livrer à l'étude de la variation diastratique, l'étude de la variation diatopique est beaucoup plus établie dans le contexte français. Après tout, la reconnaissance de la variation régionale a, inévitablement, accompagné (même s'il a été stigmatisé par) l'idéologie d'une langue unifiée et homogène. L'on voit, par exemple, dans le rapport Grégoire, que 'la nécessité d'universaliser la langue française' s'ajoute à 'anéantir les patois'. Le concept du régionalisme linguistique, donc, est bien connu en France depuis plus d'un siècle. Cependant, il est notable que, pendant la plupart du 20ième, son étude se fasse dans un cadre plus descriptif qu'analytique.

[8] Même si le débat dans l'espace public a indubitablement eu des effets sur la conscientisation des identités régionales en zone d'oïl en France.

une position – au moins discursive – des Députés favorables aux langues régionales et à leur inscription dans la Constitution. De fait, l'Assemblée Nationale a voté le 22 mai 2008 un amendement à l'article 1 de la constitution de la République le modifiant comme suit (en gras dans le texte) : « La France est une République indivisible, laïque, démocratique et sociale. Elle assure l'égalité devant la loi de tous les citoyens sans distinction d'origine, de race ou de religion. Elle respecte toutes les croyances. Son organisation est décentralisée. **Les langues régionales appartiennent à son patrimoine** ». Le 12 juin 2008, l'Académie française prend une position radicale contre ce projet (cf. annexes) et le 18 du même mois, c'est le Sénat qui refuse d'inscrire la reconnaissance des langues régionales dans la Constitution.

En revanche, le Royaume-Uni a ratifié la Charte en 2001 eu égard à toutes les langues parlées au sein du territoire du Royaume-Uni de Grande Bretagne et de l'Irlande du Nord. Cependant, les parlers normands des Iles anglo-normandes, en tant que territoires dépendants de la Couronne, ne font pas partie du Royaume-Uni (ni, en l'occurrence, de l'Union Européenne) et donc ne relèvent pas de la juridiction de la Charte. Par conséquent, les territoires linguistiques normands sont non seulement divisés mais encore ont été doublement négligés à ce niveau institutionnel.

Il faut noter que le rapport de Bernard Cerquiglini, commandé par le gouvernement français dans le but d'analyser la compatibilité de la Charte avec la Constitution française amendée de 1992, a effectivement nommé 'langues' beaucoup d'entre les variétés linguistiques traditionnellement dénommées par les linguistes[9] et dialectologues 'dialectes et patois d'oïl'. Ceci a eu pour effet de donner un statut officiel au normand continental, même si à présent ce statut est plus abstrait que concret. Il va sans dire que ce rapport (intitulé *Les Langues de France*) n'a pu conférer aucun statut au normand insulaire.

---

[9] Mais pas nécessairement par les sociolinguistes. Tout est affaire de conceptualisation de l'objet scientifique *langue* (Bulot, 2006 : 48-20).

Voilà donc un autre paradoxe : en Normandie, le normand a un statut sociolinguistique de langue auprès de nombreux acteurs et locuteurs mais n'a aucune reconnaissance ni pratique officielles ; et pourtant à Jersey et à Guernesey, où il n'a aucun statut linguistique, le dialecte a commencé à pénétrer certains domaines officiels.

Vers une action glottopolitique raisonnée

Comme nous venons de le montrer, bien que les situations des parlers normands continentaux et insulaires soient souvent complémentaires, ceux-ci font face à beaucoup de questions analogues et, dans un moment historique où la mondialisation croissante augmente la fragilité des petites langues [10], des langues de fait minoritaires et sans doute partiellement voire systématiquement minorées, la *pollinisation croisée* est sûrement infiniment plus souhaitable que la réinvention de la roue. De même que le normand continental et le normand insulaire se sont soutenus de temps en temps sur le plan culturel – par exemple quand l'éclat de poésie dialectale à Guernesey et à Jersey au dix-neuvième siècle donna de l'élan au regain d'intérêt pour la publication en normand continental (Lepelley 1999 : 133), le moment semble venu pour que les langues normandes se nourrissent de leurs expertises, de leurs actions et de leurs pratiques sur le plan sociolinguistique.

Pour ces raisons, ce volume tente de faire se rencontrer non seulement des chercheurs travaillant sur cette langue mais encore des acteurs de terrain et, partant, prendre en compte la parole autant que les pratiques des locuteurs et locutrices. Cela dans la mesure où, chacun et chacune à leur façon, toutes et tous contribuent au dynamisme de ce qui, peu ou prou, est nommé une langue : le normand. Sans prétendre bien entendu épuiser le sujet, il pose les bases d'une action commune, d'une militance scientifique, en faveur certes de la langue, mais surtout des populations concernées et de la reconnaissance de la

---

[10] On ne parle ici que du nombre de locuteurs comme argument à donner à la minoration sociale d'une langue.

pluralité identitaire de l'espace normanophone. Il plaide ainsi pour une acceptation de la modernité des pratiques langagières normandes. Un tel volume, par son côté nécessairement programmatique, interroge la nature même de la francophonie, au sein de laquelle les Iles se trouvent dans une position presque unique – à savoir une existence dans un contexte francophone où le français standard n'est jamais pratiqué en tant que langue native. En partie enfin, il questionne l'approche située de la dialectologie française avec le français régional en lien avec une conceptualisation des langues en contacts [11] dans l'espace normanophone.

En fait, le volume confronte pour la première fois des contributions de chercheurs de la quasi-totalité des territoires normands avec celles de non-chercheurs fortement impliqués, par leurs fonctions ou leurs actions, dans la réalité et la vitalité du normand. Une telle configuration éditoriale – que nous posons comme un défi en partie et provisoirement inabouti dans la mesure où manquent entre autres les apports de la sphère politique et/ou économique (Grin, 2005 ; Alcaras, Blanchet, Joubert, 2000) – tente d'examiner la complexité des réalités sociolinguistiques changeantes de la langue normande au 21ième siècle ; nous espérons ainsi contribuer au débat public sur la langue normande et y (im)poser la nécessité de penser l'aménagement linguistique dans une perspective relevant d'une *glottopolitique raisonnée* entre le normand continental et insulaire. Au final, il s'agit de concevoir des recommandations conjointes en faveur de la promotion de la langue, en appui, entre autres, sur une approche raisonnée (donc en lien avec les représentations sociales de chacun) de la distinction entre instances et acteurs et instances glottopolitiques (Bulot, 2006 : 55). Le volume est ainsi organisé autour de deux thématiques principales et congruentes : a) ***Politique***

---

[11] Le pluriel au terme *contact* fait référence à la nécessité de concevoir les rapports entre la langue normande et les autres langues (des migrants notamment) en plus du français et de l'anglais. Il serait par trop réducteur de penser la diversité des pratiques normandes dans le seul rapport aux deux langues d'Etat.

linguistique, planification et intervention sur la langue (Mari C. Jones, Thierry Bulot, Geraint Jerrings, Yan Marquis, Etienne-Henri Charamon et Christine Pic-Gillard où sont questionnés la planification identitaire qui imprègne la planification linguistique à Jersey ; de nouvelles perspectives sur la communauté sociolinguistique cauchoise ; le rôle de l'Office de Jèrriais dans l'enseignement et la normalisation du jersiais ; les débats sur la transmission et la codification du guernesiais à Guernesey ; les rapports entre politique éducative du normand et dialogue interculturel dans le Cotentin ; le foisonnement de la littérature cauchoise tant dans sa tradition que dans sa contemporanéité. Et b) *Pratiques et discours sur la pluralité de la langue* (Patrice Brasseur, Catherine Bougy, Yves Chevalier) où sont envisagés les pratiques dialectales en Normandie et l'interface avec le français régional ; le rôle de l'Internet dans l'actualité des langues normandes et picardes contemporaines l'histoire de l'orthographe cauchoise et les débats autour de sa normalisation.

Bibliographie

ALCARAS J.R., BLANCHET P., JOUBERT J., 2000, *Cultures régionales et développement économique*, ANNALES DE LA FACULTÉ DE DROIT D'AVIGNON, n°2 Cahier Spécial, Presses Universitaires d'Aix-Marseille, Aix-en-Provence, 330 pages.

ANSTED et LATHAM 1893 Ansted, D.T. and R. G. Latham 1893. *The Channel Islands*, 3rd ed. revised by E. Toulmin Nicolle (London : W.H. Allen)

BULOT, 2006, *La langue vivante, (L'identité sociolinguistique des Cauchois)*, L'Harmattan, (Collection Espaces Discursifs), Paris, 223 pages.

ELOY J.-M. (Dir.), 2004, *Des langues collatérales (Problèmes linguistiques, Sociolinguistiques et glottopolitique de la proximité linguistique)*, Paris, L'Harmattan (Collection Espaces Discursifs), Volume 1, 298 pages .

FELCE F., 2005, *Malédiction du langage et pluralité linguistique (Essai sur la dynamique des langues-langage)*, L'Harmattan (collection Espaces Discursifs), Paris, 174 pages

GRIN F., 2005, « Economie et langue : de quelques équivoques, croisements et convergences », dans SOCIOLINGUISTICA 19, Niemeyer Verlag, Tübingen, 1-12.

LE PATOUREL, 1937 Le Patourel, J. 1937. *The Medieval Administration of the Channel Islands 1199-1399*, London, Oxford University Press.

MARCELLESI J.-B., 1986, « Actualité du processus de naissance de langues en domaine roman », dans CAHIERS DE LINGUISTIQUE SOCIALE 9, Université de Rouen-IRED, Mont-Saint-Aignan, 21-29.

MARCELLESI J.-B., PRUDENT L.F., 1982, « Le cauchois... entre la dialectologie et la sociolinguistique », dans ÉTUDES NORMANDES 3, Études Normandes, Mont-Saint-Aignan, 5-23.

MicRomania, 1995, *Les langues transfrontalières*, MICROMANIA, Bruxelles, 135 pages.

JONES M.C. 2001. Jersey Norman French : *a Linguistic Study of an Obsolescent Dialect* (Oxford : Blackwell) (Publications of the Philological Society, 34).

JONES M. C., 2008, *The Guernsey Norman French Translations of Thomas Martin : A Linguistic Study of an Unpublished Archive*, Louvain, Peeters.

Annexes

Déclaration de l'Académie française

(Cette déclaration a été votée à l'unanimité par les membres de l'Académie française dans sa séance du 12 juin 2008).

« *Depuis plus de cinq siècles, la langue française a forgé la France. Par un juste retour, notre Constitution a, dans son article 2, reconnu cette évidence : « La langue de la République est le français ».*

Or, le 22 mai dernier, les députés ont voté un texte dont les conséquences portent atteinte à l'identité nationale. Ils ont souhaité que soit ajoutée dans la Constitution, à l'article 1er, dont la première phrase commence par les mots : « La France est une République indivisible, laïque, démocratique et sociale », une phrase terminale : « Les langues régionales appartiennent à son patrimoine ».

Les langues régionales appartiennent à notre patrimoine culturel et social. Qui en doute ? Elles expriment des réalités et des sensibilités qui participent à la richesse de notre Nation. Mais pourquoi cette apparition soudaine dans la Constitution ?

Le droit ne décrit pas, il engage. Surtout lorsqu'il s'agit du droit des droits, la Constitution.

Au surplus, il nous paraît que placer les langues régionales de France avant la langue de la République est un défi à la simple logique, un déni de la République, une confusion du principe constitutif de la Nation et de l'objet d'une politique.

Les conséquences du texte voté par l'Assemblée sont graves. Elles mettent en cause, notamment, l'accès égal de tous à l'Administration et à la Justice. L'Académie française, qui a reçu le mandat de veiller à la langue française dans son usage et son rayonnement, en appelle à la Représentation nationale. Elle demande le retrait de ce texte dont les excellentes intentions peuvent et doivent s'exprimer ailleurs, mais qui n'a pas sa place dans la Constitution. »

Source : http://www.academie-francaise.fr/actualites/index.html (site consulté le 27 juin 2008).

CHAPITRE 1

LA PLANIFICATION IDENTITAIRE AU SEIN DU NORMAND INSULAIRE[1]

Introduction

L'acte d'utiliser une variété linguistique à la place d'une autre sert à allier un locuteur à une communauté linguistique ou bien à l'en détacher. Pour cette raison, une langue se voit souvent munie d'une force symbolique, voire emblématique et, tout comme un drapeau ou un hymne national, elle peut à la fois représenter un lieu d'allégeance ethnique et de parenté et, à la fois, distinguer entre un 'même' et un 'autre'[2]. Néanmoins, même si une langue réunit une collectivité d'individus par voie d'une identité commune, elle ne représente qu'un symbole parmi plusieurs tels que le sang, le territoire, la religion, la tenue et les coutumes. Pour transmettre une identité, ces symboles doivent forcément être très visibles à l'intérieur et à l'extérieur du groupe. Cependant, à cause de ses facettes multiples, qui se composent de plusieurs traits entrelacés, la matrice de l'identité est bien difficile à définir. Joshua Fishman met en évidence cette complexité sur le plan linguistique en parlant de *Xmen via Xish* et *Xmen via Yish* (1991 : 16-17), à savoir, deux groupes d'individus qui, selon toute apparence, partagent une même identité et pourtant pour les premiers, la langue représente une partie fondamentale de cette identité tandis que pour les derniers, elle est de moindre importance. D'où le fait que, même

---

[1] Mari C. Jones, Peterhouse et Département de francais, Université de Cambridge (Royaume-Uni).

[2] Ceci est surtout vrai pour les langues standards (voir, par exemple Weinreich (1953 : 100), Edwards (1985 : 17), Jones (1998b)). Cependant, une identité nationale forte peut exister même en l'absence d'une langue standard unique. Citons, par exemple, le cas de la Norvège.

si elle est capable de relier et de créer des distances, l'identité peut se réaliser de façon différente, y compris au sein du même groupe.

Dans une situation d'obsolescence linguistique, l'interface entre langue et identité est très intéressante. Quand deux langues sont en concurrence – dont une langue dominante et une langue subordonnée, dominée – les locuteurs de la langue dominée (qui ont d'habitude moins de pouvoir) souvent y tournent le dos afin de se différencier de leur propre groupe et de s'allier avec le groupe perçu comme dominant. Cependant, chose intéressante, malgré ce refus de l'identité associée à la langue dominée, si plus tard cette variété connaît une revitalisation, l'identité ethnoculturelle se trouve très souvent au sein du mouvement. En effet, même si, pour des raisons historiques, même s'il n'existe aucun sentiment d'identité partagé par tous les membres d'une communauté linguistique fragmentée qui vit une obsolescence linguistique, cette identité peut cependant se manifester à partir de la variété linguistique revitalisée (Jones, 1998b).

Ce chapitre examine la situation du dialecte normand parlé à Jersey (le jèrriais). Dans un premier temps, il analyse les relations complexes qui relient une communauté et son identité linguistique. Dans un deuxième temps, il met en évidence la façon dont la planification linguistique peut 'refaçonner' une identité linguistique afin de la rendre acceptable même aux membres de la communauté linguistique qui l'auraient peut-être rejeté. Jonathan Pool (1979 : 5) a nommé ce phénomène 'la planification identitaire'.

L'identité jersiaise et l'obsolescence linguistique

Jersey est la plus grande des Iles anglo-normandes, petit archipel au large de la côte ouest du Cotentin et dont les dialectes ressemblent de près à ceux de la Normandie continentale voisine. Le latin a été introduit aux Iles pendant l'occupation romaine et, bien que la date précise reste incertaine, il y a lieu de croire que la présence de cette langue, et plus tard, d'un parler néo-latin, date depuis à peu près deux mille ans. Suite à l'arrivée des Scandinaves germanophones au

Nord de la France lors du 10ième siècle, les Iles ont été incorporées dans le Duché de Normandie en 933 et beaucoup de liens économiques, législatifs et linguistiques se sont maintenus avec la Normandie continentale jusqu'en 1204, quand Jean d'Angleterre[3] a cédé le Duché au roi français Philippe Auguste[4]. Cependant, les Iles n'ont pas été reprises par la France en 1204 : elles ont plutôt choisi de rester terres du roi d'Angleterre. Cette décision a eu pour résultat l'établissement d'une juridiction distincte dans ce qui allaient devenir les circonscriptions de Jersey et de Guernesey (qui portent le nom des deux îles les plus grandes). Bien sûr, à la suite de leur nouvelle allégeance, la France est devenue l'ennemi. La crainte d'une invasion française lors des siècles suivants a motivé la fortification progressive de Jersey et de Guernesey et il est fort probable que l'anglais a pris pied sur les Iles grâce à l'établissement de garnisons militaires, surtout à partir de la fin du 18ième siècle[5]. Cependant, malgré cette présence militaire anglaise, Jersey n'a connu aucune anglicisation subite et ce n'est qu'au milieu du 19ième siècle que l'anglais a fait une vraie avancée sur l'île, à cause du développement de liens commerciaux et de transport. John Uttley, par exemple, a calculé qu'en 1840, il y avait à peu près 15,000 résidents anglais à Jersey, ce qui représentait à l'époque presque un tiers de la population totale (1966 : 174).

Au cours des 18ième et 19ième siècles, l'anglais était sans doute un outil utile dans la mesure où il facilitait l'interaction des îliens – surtout les habitants de Saint Hélier, la ville principale de Jersey – avec les soldats des garnisons et également avec les commerçants qui visitaient l'île du Royaume-Uni. Et il y a de

---

[3] Le Duché de Normandie et le Royaume d'Angleterre ont été unifiés après la victoire du Duc Guillaume de Normandie (Guillaume le Conquérant) à la bataille d'Hastings (1066).

[4] Selon toute apparence, les Scandinaves n'ont mis que trois générations à abandonner leur langue et ils ont adopté le vernaculaire néo-latin de la région. Ce dernier étant néanmoins fort influencé par le vocabulaire scandinave.

[5] Pour plus de renseignements sur l'histoire de Jersey, voir Syvret et Stevens (1998).

bonnes raisons de penser que de plus en plus d'îliens
apprenaient l'anglais : « Albeit French be our ordinary
language, there are few gentlemen, merchants or considerable
inhabitants, but speak English tolerably. The better to attain it,
they are sent young to England. And among the inferior sort
who have not the like means of going abroad, many make a shift
to get a good smattering of it in the Island itself. More
especially in the town of St. Helier, what with this, what with
the confluence of the officers and soldiers of the garrison, one
hears well-nigh as much English spoken as French. And
accordingly the weekly prayers in the Town Church, are one
day in French, and another in English. » (Falle, 1734 : 125-126).
Ce que confirme Henry Inglis : « Children are now universally
taught English ; and amongst the young, there is an evident
preference of English. The constant intercourse of the
tradespeople with the English residents ; and the considerable
sprinkling of English residents in Jersey society, have also their
effect. » (Inglis, 1844 : 73).

Il est fort probable que, à cette époque, pour la plupart des
îliens la décision d'apprendre l'anglais était de l'opportunisme
plutôt qu'un choix positif de s'allier avec un 'autre'. Qui plus
est, bien qu'il soit possible que l'intrusion de l'anglais ait
provoqué un certain bilinguisme au sein de la ville, les paroisses
rurales se sont vues sans doute beaucoup moins touchées sur le
plan linguistique. Selon toute probabilité, donc, la plupart de la
population indigène de l'île a continué de parler jèrriais – même
si au milieu du 19ième siècle l'anglais était considéré 'plus élevé'
ou 'melleur' que ce dialecte : « the English language […] is
most usually spoken in the best mixed society' (Inglis
1844:72) ; 'amongst the young, there is an evident preference
of English » (Inglis, 1844 : 73).

Comme l'attestent les archives, en 1841 63% des enfants de
Saint-Hélier avaient des prénoms anglais. Que les parents aient
donné à leurs enfants un prénom associé à un autre groupe
éthique est un fait lourd de sens ! Même s'il ne s'agit pas d'un
refus total de leur propre identité, l'on ne peut pas nier que ce
choix est bien symptomatique d'un désir de s'associer à une

autre communauté linguistique, et qu'il indique très clairement que cette dernière est perçue comme supérieure (ou du moins que son identité est perçue comme souhaitable). Le remplacement translinguistique de noms propres est très souvent en évidence au cours du shift linguistique (Weinreich, 1953 : 53) ; Jones (1998a : 246) et à Jersey il a sans doute témoigné d'un changement qui se préparait dans le climat quotidien de la vie insulaire[6].

A mesure que les liens commerciaux s'intensifiaient et que le transport de marchandises et de passagers entre Jersey et le Royaume-Uni devenait plus fréquent, la chance a continué à tourner en faveur de l'anglais et, petit à petit, la vie insulaire s'est progressivement rapprochée de celle du Royaume-Uni. A titre d'exemple, en 1834, Jersey a renoncé à sa monnaie séculaire et a adopté le système britannique ; en 1858, l'île a été reliée au système télégraphique britannique ; et 1852 a vu l'ouverture de Victoria College, qui prenait modèle sur les écoles privées anglaises, et dont les cours était tous faits en anglais. En 1900, l'anglais a été permis pour la première fois dans les séances des États de Jersey (le comité législatif principal de l'île) et en 1919 les mesures jersiaises ont été abandonnées en faveur du système anglais ; dans les années trente, il était rare que les débats d'un procès de la Cour Royale se fassent en français. Même si la plupart d'entre ces changements ont touché la vie quotidienne urbaine plutôt que les campagnards, il est néanmoins clair que, au début du 20ième siècle, l'idée que l'anglais représente l'influence, la puissance et la clef qui ouvre sur le monde extérieur a commencé à se concrétiser à Jersey.

La deuxième guerre mondiale représente sans aucun doute l'événement déterminant du 20ième siècle pour les Iles anglo-

---

[6] Également, plusieurs noms de familles jersiais se sont vus anglicisés. Par exemple, Le Feuvre se prononce actuellement 'Le Fever', et d'autres exemples sont cités par Hublart, à savoir Le Breuilly (prononcé 'Brailey'), Luce (prononcé 'Loose') et Le Hégaret (prononcé 'Garett') (1979 : 46).

normandes. En 1940, le gouvernement britannique s'est décidé à démilitariser l'archipel, en se rendant compte qu'il serait impossible de défendre ce territoire contre l'armée allemande de façon efficace. Par conséquent, les Iles ont été envahies et occupées par l'Allemagne jusqu'en 1945. Au moment de la démilitarisation, les îliens ont reçu la possibilité d'être évacués au Royaume-Uni. A Jersey, environ dix mille habitants (d'une population d'environ 51000) ont profité de cette possibilité, pour la plupart des femmes et des enfants. Les évacués ne sont pas rentrés à Jersey jusqu'à la fin de la Guerre. La répression politique sévère subie par les îliens qui sont restés sur l'île pendant l'Occupation les a encouragés à parler jèrriais – mais les circonstances du dialecte ont changé de façon très frappante après la capitulation allemande en 1945, et cela pour deux raisons principales. Comme nous avons vu, suite à l'Occupation, beaucoup des membres de la communauté linguistique jèrriaise ont quitté l'île pendant plus ou moins cinq années. Qui plus est, un grand pourcentage de la population enfantine n'a jamais eu la possibilité de vivre dans un environnement dialectophone et de parler jèrriais comme langue native – et par conséquent, très peu d'entre eux sont devenus vraiment bilingues. Malgré le fait que les locuteurs du jèrriais ont pu renouveler leur connaissance du dialecte lors de leur rentrée à Jersey après la Guerre, bon nombre des enfants les plus grands et des adultes les plus jeunes avaient soit oublié leur jèrriais, soit préféraient ne pas le parler, en estimant que l'anglais était une variété plus progressiste et à la mode.

Selon Nancy Dorian (1998 : 3), une variété linguistique peut se lier à un peuple de bas prestige jusqu'au point où ses locuteurs potentiels préfèrent prendre leur distance avec elle et adopter une autre langue. C'est probablement ce qui est arrivé chez les parents dialectophones pendant l'après-guerre. Ayant vu les avantages économiques de l'anglais, ces gens ont cherché à fournir à leurs enfants une identité différente (ou, du moins, un moyen d'échapper à leur identité). Bien sûr, de telles attitudes négatives – qui ont pour conséquence rendre moins pérenne la loyauté linguistique – se font jour très fréquemment lors du shift linguistique [7]. Ainsi, bien que l'anglicisation croissante du territoire jersiais à partir du 19ième siècle ait fait que le jèrriais frôlait l'obsolescence linguistique bien avant la deuxième guerre mondiale, le mouvement démographique occasionné par la Guerre pendant cette courte période a eu des conséquences pour non seulement la capacité des îliens de parler le jèrriais mais aussi pour leurs attitudes envers ce dialecte. Il semble bien évident que ces attitudes ont fortement précipité le processus d'obsolescence : face à une situation de comparaison permanente avec l'anglais, les locuteurs du jèrriais ont commencé à accorder à leur langue native une importance secondaire (Schmidt, 1985 : 228) en estimant que le fait de la pratiquer les reliait à un groupe social inférieur. Pour les classes commerciales, et même dans les paroisses rurales, le jèrriais et l'identité qui lui était associée ont été jugés négativement et n'ont pas résisté à l'examen.

Malgré le fait que le français standard n'ait jamais servi de langue quotidienne pour un pourcentage élevé de la population de Jersey, elle a toujours été dotée du statut de langue officielle[8]. Pour cette raison, la communauté linguistique jèrriaise s'est rendu compte de la hiérarchie qui existait entre le jèrriais et le français standard bien avant que l'influence de l'anglais ne soit devenue effective. Ceci se voit clairement par la terminologie utilisée pour parler des deux variétés. En jèrriais, c'est *lé patouais* qui dénote le dialecte ; en anglais insulaire c'est *Jersey French* : la modification du mot *French* suggérant un français plutôt secondaire. D'ailleurs, c'est le français standard (et non le jèrriais) qui a été choisi pour toutes les fonctions officielles, telle que les inscriptions sur les tombeaux, les affiches paroissiales et, jusqu'au 20ième siècle, la législation. Même

---

[7] Voir Kulick (1992 : 187), Zepeda et Hill (1991 : 141), Hindley (1990 : 179) et Rottland et Okombo (1992 : 277).

[8] La seule fois où l'île a connu bon nombre de colons français, c'est lors de la Révolution française, quand beaucoup d'aristocrates et de prêtres français ont fui à Jersey (L'Estourbeillon de la Garnache 1886).

aujourd'hui, le français jouit d'une position privilégiée dans les écoles de l'île, où il est introduit avec quatre ans d'avance sur le système britannique. Et pourtant, grâce à la prédominance actuelle de l'anglais sur l'île, le français lui a cédé la plupart de ses anciens domaines d'emploi [9] et reste aujourd'hui une langue quasiment cérémoniale, utilisée, par exemple, lors des prières qui ouvrent les séances des États.

Le fait que Jersey soit une île et, par conséquent, se trouve isolée de tout autre groupe ethnique a sans doute influencé l'identité jersiaise [10]. En outre, les deux 'autres' aires linguistiques qui se trouvent à côté de l'île (l'Angleterre et la France) ont toujours imprégné son histoire. Comme il a été déjà démontré, pendant les derniers siècles, le jèrriais s'est trouvé en concurrence sur deux fronts linguistiques et chaque fois il a fini en deuxième position. Il n'est guère surprenant, donc, que les locuteurs du jèrriais considèrent leur dialecte comme inférieur au parler des autres groupes linguistiques. Néanmoins, bien que le shift linguistique ait germé dans le désir de changer cette identité (Pool, 1979 : 6-7), les facteurs qui ont créé et renforcé l'identité jersiaise se maintiennent toujours et rien ne prouve que les Jersiais aient voulu adopter une identité britannique, même pendant la période du shift [11]. En fait, il semble que le but souhaité par un grand pourcentage de la communauté linguistique jèrriaise était une identité jersiaise transformée, au sein de laquelle un Jersiais ne cessait pas d'être jersiais, mais plutôt se munissait d'une identité modifiée qui incorporait une dimension supplémentaire, à savoir, la capacité de parler anglais avec toutes les connotations de modernité et de progrès qui s'y

---

[9] La rédaction des actes de propriété représente la seule vraie exception à cette situation. Dans ce domaine, le français standard continue en vigueur.

[10] C'est l'identité jersiaise qui est ressentie chez les îliens plutôt qu'une identité anglo-normande plus large. En fait, cette dernière est presque inconnue.

[11] Jonathan Pool (1979 : 10) discute de la façon dont les membres d'un groupe peuvent perdre leur identité sans forcément adopter celle d'un autre groupe.

rattachaient. Comme le dirait Fishman, il semble qu'à Jersey, devenir *Xman via Yish* soit préférable à rester *Xman via Xish*.

L'identité jersiais et la revitalisation linguistique

Au début du 21ième siècle l'identité jersiaise se maintient forte, mais la nature de cette identité aurait changé : désormais la langue d'un 'autre' s'y révèle de plus en plus présente. Aujourd'hui, la très grande majorité des Jersiais de souche n'ont aucune connaissance du jèrriais et vivent leur vie entièrement en anglais[12]. D'où une question : en quoi constituent les traits saillants de l'identité jersiaise contemporaine – d'autant que, grâce aux effets homogénéisants de la mondialisation et de la modernisation, il y a, en fait, très peu d'éléments qui servent à distinguer le Jersiais moyen de son homologue au Royaume-Uni ? Manning Nash a discuté du fait que les marqueurs de limite qui s'opèrent pour différencier les groupes ethniques, tels que le sang et le rituel, sont souvent peu visibles, peu saisissables ou même peu disponibles dans l'interaction sociale, d'où une dépendance sur des indications de surface telles que « dress, language, and (culturally denoted) physical features, which can also be supplemented by a host of subsidiary indices of separateness such as house architectures, interior arrangements, ritual calendars, specific taboos in joint social participation, special medical practices, special economic practices » (1996 : 25-26). Les Jersiais partagent beaucoup de ces indices avec les habitants du Royaume-Uni – en effet, habiter Jersey (et non le Royaume-Uni) est l'un des rares traits que séparent ces deux peuples[13]. Pour cette raison, à Jersey, la langue a les qualités requises pour représenter un marqueur de limites à la fois important et tangible.

---

[12] Le recensement le plus récent (2001) a noté qu'il ne restait que 2874 dialectophones, c'est-à-dire environ 3,2% de la population de Jersey.

[13] Il va sans dire que les lois et la situation administrative interne de Jersey se distinguent nettement de celles du Royaume-Uni, mais pour le Jersiais moyen, la langue représente une partie plus visible et pertinente de la vie quotidienne.

L'abandon progressif du jèrriais parmi ses anciens lieux forts – chez la famille, les amis et les voisins, par exemple – a provoqué la prise de conscience, parmi la communauté linguistique jèrriaise, que leur langue native se perdait. Par conséquent, la deuxième moitié du 20ième siècle a connu la mise en place de plusieurs démarches pour sauvegarder l'avenir du dialecte (Jones, 2001). La plupart de ces démarches ont reçu un appui plutôt hésitant de la part des États qui, même aujourd'hui ne disposent d'aucune politique linguistique officielle vis-à-vis du jèrriais. En effet, de nos jours, l'initiative éducative jèrriaise représente le seul véritable soutien fourni au dialecte par les États. A part cette démarche, la planification linguistique s'est vue majoritairement confiée à des individus enthousiastes et à des groupes qui manquent de statut officiel et d'expérience dans ce domaine et s'est développée d'une façon plutôt *ad hoc*. Il est intéressant de constater que, dans l'absence d'une stratégie officielle, ces groupes ont placé l'importance du jèrriais vis-à-vis de l'identité insulaire au cœur même du mouvement de revitalisation : comme il a été démontré ci-dessus, étant donné le fait que la façon de vivre jersiaise ressemble autant à la façon de vie au sein du Royaume-Uni, il y a une lacune évidente que le dialecte peut remplir (Fishman, 1996 : 66).

Les revitalisateurs ont donc accordé une importance presque idéologique au jèrriais et en ont fait un indicateur de surface très visible de l'identité insulaire, dans la tradition de la déclaration faite par Johann Gottfried von Herder au 18ième siècle : « Denn jedes Volk ist Volk ; es hat seine National Bildung wie seine Sprache » (cité dans Anderson, 1983 : 66)[14]. Cependant, pour atteindre ce but, il a fallu refaçonner le rapport entre le dialecte et l'identité insulaire car c'est ce lien-même que la communauté linguistique actuelle s'est décidée à couper. Par conséquent, la planification identitaire est devenue une partie primordiale de la planification linguistique qui se développe à Jersey : la mise en évidence du lien entre langue et identité n'aboutira pas à un

---

[14] Anderson a pourtant raison de noter que cette déclaration ignore certaines situations extra-européenes (1983 : 66).

usage plus large que si l'on réussit à (re)convaincre la communauté linguistique que le jèrriais ne représente pas un enfermement, un repli identitaire sur une ancienne image négative d'elle-même.

La planification identitaire à Jersey a trois buts distincts mais interdépendants. D'abord, la modification des perceptions vis-à-vis de ce dialecte ; deuxième, la création d'une solidarité chez les dialectophones ; troisième le renforcement d'une identité jersiaise chez ceux qui ne font pas partie de cette communauté linguistique.

Les organisations principales au sein de la revitalisation du jèrriais sont les suivantes 1) *Assembliée d'Jèrriais*, établie en 1951, et dont le but est 'la consèrvâtion dé l'usage dé la langue Jèrriaise par touos les mouoyens pôssibl'yes' ;   2) le *fidéicommis Don Balleine*, créé en 1943 à partir d'un legs considérable pour l'étude du jèrriais et 3) la *Section de la Langue Jèrriaise*, fondée en 1995 comme partie de la *Société Jersiaise*[15]. Les pages suivantes traiteront de plusieurs stratégies de la planification linguistique qui ont créé et renforcé des liens synchroniques et diachroniques au sein du mouvement de revitalisation – et qui jouent également un rôle dans le contexte de la planification identitaire.

Les liens synchroniques

A l'intérieur de la communauté

L'Assembliée d'Jèrriais vise à nourrir une solidarité chez les dialectophones. Le sentiment de 'non-exclusion' a été important dès sa création : « Toute personne intérêssie dans l's objets d'l'Assembliée peut êt' membre » (cité dans Hublart 1979 : 62). Par l'organisation d'événements sociaux mensuels, l'*Assembliée* fournit à ses membres une occasion régulière de pratiquer le

---

[15] Fondée en 1873, la *Société Jersiaise* se compose de plusieurs sections spécialisées qui s'occupent d'aspects différents de la vie insulaire : par exemple, les anciens bâtiments, la biologie marine, l'archéologie et l'ornithologie.

jèrriais dans un contexte où le dialecte est, pour une fois, de première importance.

La *Section de la Langue Jèrriaise* complète ces activités sociales par du travail de caractère plus académique. Beaucoup d'entre ses réunions mettent l'accent sur la littérature jèrriaise et la lexicologie. Toutefois, la *Section* encourage la participation des Jersiais non-dialectophones, les *Xmen via Yish* de Fishman, dont l'appui est essentiel pour le mouvement de revitalisation (voir ci-dessus). Par conséquent, ses réunions mettent en évidence les éléments non-linguistiques de l'identité insulaire, tels que les coutumes d'antan et la musique traditionnelle et la *Section* fait sentir sa présence pendant des événements culturels tels que *Lé Vièr Marchi* [16]. L'importance de ces activités provient du fait qu'elles créent une 'altérité' qui peut être partagée par les non-dialectophones aussi bien que par les dialectophones – d'où la possibilité d'autres démarches. Par exemple, la *Section* a fait pression – avec succès – pour obtenir une présence jèrriaise sur les panneaux d'accueil à l'aéroport et au port, sur les panneaux touristiques à Saint-Hélier et sur les croix érigées dans toutes les paroisses pour fêter le nouveau millénaire. Elle a également fait en sorte que les cartons de lait livrés aux écoles soient bilingues et a soutenu le lancement d'un *Fronmage* jersiais. Il faut reconnaître que ces démarches n'ont que de faibles chances de produire de nouveaux locuteurs, cependant, elles fournissent un moyen abordable par lequel les non-dialectophones peuvent s'approprier l'élément linguistique de l'identité jersiaise.

Le jèrriais jouit également d'une présence dans les médias – avec la publication d'articles mensuels dans le quotidien *The Jersey Evening Post* qui sont fournis par soit le le fidéicommis Don Balleine soit le *Congrès des Parlers Normands et Jèrriais*. Depuis 1997, le dialecte a aussi une présence réelle à la radio (*BBC Radio Jersey*).

---

[16] 'Le vieux marché' : une foire d'artisanat et de produits traditionnels.

L'histoire de l'initiative éducative jèrriaise montre clairement l'importance du 'refaçonnement' de l'identité des *Xmen via Yish*. Par suite d'une campagne faite par l'un des sénateurs jersiais, des questionnaires ont été distribués aux parents de tous les élèves primaires de l'île en 1997. Il va sans dire que la plupart des 790 réponses qui se déclaraient en faveur de l'enseignement du jèrriais ont dû – forcément – venir de la part des non-dialectophones. Par conséquent, un programme d'enseignement extra-scolaire s'est vu offert à tous les élèves de 10 à 11 ans[17]. L'école représente un véritable atout pour la planification identitaire jersiaise car elle y fait participer des enfants venant de toute l'île. Également, et c'est d'une importance cruciale, l'école représente le seul élément du mouvement de revitalisation qui cherche à franchir le fossé des générations et qui reçoit un soutien financier de la part des États. Les problèmes qui surgissent lors d'une trop grande dépendance par rapport à l'école pour renverser le shift linguistique ont été discutés par Joshua Fishman (1991) et Kendall King (2001) et il va sans dire que, sous sa forme actuelle, il est peu probable que l'initiative éducative jèrriaise puisse rétablir la transmission intergénérationnelle ou même produire de nouveaux dialectophones. Cependant, comme l'a montré Dorian (1987 : 64-65), il vaut toujours la peine de (ré)introduire une variété à l'école même quand une campagne de revitalisation 'proprement dite' n'a que de faibles chances de réussir, car elle peut servir à réduire les attitudes négatives envers cette variété et ses locuteurs – et à la fois, provoquer une plus grande conscience de soi chez la communauté linguistique minoritaire (Hornberger et King, 1996 : 438). Étant donné que la population scolaire actuelle de l'île ne comprend aucun locuteur natif du jèrriais, l'initiative éducative joue un rôle double. Pour les non-dialectophones, elle met en évidence l'élément linguistique de l'identité jersiaise – même s'ils ne s'en servent pas très souvent à long terme. Pour les dialectophones, l'initiative aide à faire comprendre que le

---

[17] Aujourd'hui, ce programme se porte de mieux en mieux et les cours sont offerts même aux collégiens.

jèrriais fait toujours une partie réelle de l'identité insulaire moderne.

Bien que ces démarches n'aient pas d'effet immédiat vis-à-vis du nombre des locuteurs, la présence du jèrriais dans ces domaines bien en vue aide non seulement les non-dialectophones à se familiariser avec ce dialecte mais encore renforce l'image de Jersey en tant qu'île bilingue.

A l'extérieur de la communauté

Grâce à son isolement géographique, Jersey est facilement reconnue en tant qu'unité territoriale distincte, mais la planification identitaire vise également à persuader le monde au-delà de l'île que cette 'altérité' présuppose un élément linguistique. C'est pourquoi, la *Section de la Langue Jèrriaise* a joué un rôle important dans la promotion du jèrriais en tant que partie d'une identité jersiaise plus large. La *Société* a encouragé la présence du jèrriais dans les cérémonies des Jeux Inter-Iles Européens et dans les colloques sur les langues minoritaires. Le jèrriais s'est aussi vu lancer sur l'Internet (http://www.societejersiaise.ORG/Geraint/Jerriais.html), site qui actuellement comprend plus de mille *pages Jèrriaises*.

Des liens culturels ont été établis entre Jersey et la Normandie continentale dans le but de promouvoir l'identité jersiaise au sein d'une plus grande 'famille normande'. *L'Assembliée d'Jèrriais*, le fidéicommis Don Balleine et la *Section de la Langue Jèrriaise* ont tous contribué à la création et à la promotion de plusieurs corps de planification linguistique 'inter-normands' tels que *L'Association Jersey-Coutançais* et le *Congrès des Parlers Normands et Jèrriais* (établis en 1996)[18], la *Fête des Rouaisouns* (1998), un festival annuel de poésie, de danse et de musique qui permet l'échange d'idées entre ceux qui travaillent pour la promotion du normand[19] ; et *Assembllaée ès*

---

[18] A Jersey, le *Congrès des Parlers Normands et Jèrriais* chapeaute plusieurs corps de planification linguistique et promeut le normand à Guernesey et en Normandie continentale.

[19] Jersey a accueilli cette fête en 2000, en 2003 et en 2008.

Normaunds (2000) qui vise à améliorer le statut des parlers normands.

Les liens diachroniques

Samuel Johnson a dit que les langues représentent la lignée des nations (Hill, 1964 : 225). La planification identitaire doit donc assurer que la communauté linguistique jèrriaise peut s'associer avec sa lignée linguistique par la mise en évidence de ses racines. Comme Manning Nash l'a formulé (1996 : 27), « Tradition, while chiefly concerned with the past ... has a forward, future dimension » (Fishman, 1996 : 65). Dans ce but, le statut du dialecte s'est vu renforcé par la mise en valeur de sa tradition littéraire, et le fait que Wace, auteur renommé du 12ième siècle, vienne de Jersey est en prime. En effet, les vers du *Roman de Rou* où Wace revendique ses origines jersiaises :

Jo di e dirai que jo sui
Wace de l'isle de Gersui [20] *(lignes 5301-02)*

Sont inscrits sur l'un des murs de l'esplanade de Saint Hélier.

La promotion de la tradition littéraire jersiaise n'a pas été simple. Bien que Jersey ait produit bon nombre de poètes et d'écrivains au cours des 19ième et 20ième siècles (Lebarbenchon, 1988), leur oeuvre n'est guère accessible à cause du fait que les poèmes et les contes jèrriais étaient publiés – irrégulièrement - dans les journaux, les almanachs et sous forme de livrets courts au lieu de l'être sous la forme de livres proprement dits. Les trois organisations principales au sein de la revitalisation du jèrriais ont toutes fait un effort sérieux à cet égard. Par exemple, l'œuvre d'écrivains jersiais – passés et présents – est reproduite de temps en temps dans les *Nouvelles Chroniques* du fidéicommis Don Balleine et dans les bulletins de *Assembliée d'Jèrriais* et se font souvent jour lors de la *Soirée Jèrriaise* de

---

[20] Bien que Wace soit d'origine jersiaise, grâce aux nombreux traits supra-régionaux dans la langue du *Roman de Rou*, il est impossible de prétendre que Wace écrivait en jèrriais.

l'Eisteddfod de Jersey[21]. Pour sa part, la *Section de la Langue Jèrriaise* a publié une anthologie des écrivains jersiais les plus célèbres.

La présentation de ces écrivains à la communauté linguistique contemporaine a été facilitée par la standardisation du jèrriais. Avant ceci, à cause de l'absence d'une orthographe unifiée, les écrivains avaient tendance à utiliser leur propre système – ce qui était souvent une représentation plus ou moins phonétique de leur parler[22]. Pour cette raison, la publication du *Dictionnaire Jersiais-Français* (Le Maistre 1966) a représenté une démarche importante vis-à-vis de la revitalisation du dialecte. Grâce à ce dictionnaire, composé d'environ 20,000 mots, et rédigé par un fermier du nord-ouest de Jersey (plutôt que par un planificateur officiel) l'orthographe du jèrriais a pu être fixée de façon définitive : cela a facilité la publication en jèrriais et a fourni la base d'une langue standard qui pourrait être enseignée à l'école. Mais en plus de ces questions pratiques, le *Dictionnaire Jersiais-Français* était d'une valeur immense pour la planification identitaire puisqu'il a donné une stabilité au jèrriais qui était essentiel pour l'établir en tant que 'langue de Jersey'. En outre, le dictionnaire a réussi à relier tous les membres de la communauté linguistique jèrriaise, quel que soit leur parler quotidien. Mais encore plus important, le *Dictionnaire Jersiais-Français* a fait du jèrriais une variété linguistique autonome et distincte du français standard. De la même façon qu'Atatürk a promu l'identité nationale turque et a créé une distance entre le turc et les autres langues turques en remplaçant sa graphie arabe par une graphie romaine, le *Dictionnaire Jersiais-Français* a aidé à couper le lien entre le jèrriais et le français.

---

[21] L'Eisteddod est une fête annuelle de chanson, de danse et de théâtre, qui prend sa forme du modèle gallois. La fête a été introduite à Jersey en 1908.

[22] Pour la variation régionale du jèrriais, voir Jones (2001).

Discussion

Par ces stratégies, le jèrriais s'est vu 'refaçonner' en tant que variété linguistique standardisée munie d'une lignée littéraire et d'un statut contemporain. Les revitalisateurs ont également dû reconnaître que la réussite de la planification identitaire dépend, en grande mesure, de l'attitude des dialectophones. Par conséquent, même si la notion abstraite d'une communauté qui se distingue sur le plan linguistique et qui travaille et vit ensemble à l'écart d'autres communautés est de l'étoffe dont sont faits les rêves ; à Jersey l'on a dû admettre que ce scénario ne se reproduira plus jamais et que, d'ailleurs, pour la plupart de la communauté jersiaise, la ségrégation linguistique et économique ne serait nullement souhaitable. En fait, imaginer que la langue jèrriaise pose un obstacle au développement économique de la communauté reviendrait à le transformer d'emblée en marchandise négociable – même pour ses locuteurs. Par conséquent, pour les dialectophones traditionnels – dont beaucoup avaient abandonné le jèrriais pendant l'après-guerre – il serait peut-être plus facile de s'identifier avec le nouveau jèrriais 'respectable' et d'accepter la nécessité de le préserver comme partie intégrante de l'identité insulaire. Et pourtant, la planification identitaire à Jersey doit également les convaincre (ou du moins les rassurer) que (ré)embrasser l'identité jersiaise ne signifie pas perdre leur identité plus large. Paradoxalement, plus on peut 'vendre' l'élément linguistique de l'identité insulaire à la communauté non-dialectophone, plus de chance cette identité a de réussir.

Les *Ymen* et les *Xmen via Yish*

Il est donc clair que, si les stratégies de planification identitaire vont réussir dans leur but de fournir une motivation pour la revitalisation du jèrriais, elles doivent aussi s'adresser à la communauté non-dialectophone. Sur une petite île où seulement 3,2% de la population connaît cette variété, le nombre des locuteurs ne s'élèvera qu'avec l'aide de ce groupe. Qui plus est, une solidarité de la part des non-dialectophones fournit un soutien supplémentaire aux démarches de la planification linguistique (comme par exemple l'initiative éducative jèrriaise) et à la fois elle rappelle aux locuteurs traditionnels que les connotations de l'identité jersiaise au 21ième siècle ne sont plus celles de l'après-guerre – et qu'ils peuvent être, eux-mêmes, à la fois 'authentiques' et 'modernes'.

Les non-dialectophones se divisent en deux groupes. D'abord, les *Ymen* : à savoir, des individus qui habitent Jersey bien qu'ils n'y soient pas nés. Grâce à la situation socio-économique particulière de l'île en tant que paradis fiscal, cette partie de la population est très élevée. Le taux d'immigration a été également augmenté par le fait que les États accordent des permis de résidence à court terme à des étrangers si un poste spécialisé ne peut pas être pourvu par des Jèrriais. Selon le recensement de 2001, 47% de la population de Jersey n'y est pas né. Les *Ymen* ne sont pas d'une ethnicité jersiaise et, d'ailleurs, n'habiteront pas Jersey assez longtemps pour créer des liens affectifs par rapport à l'île. A part certains cas exceptionnels, l'on ne peut nullement compter sur eux pour soutenir de façon dynamique les démarches de revitalisation. En fait, le moins qu'on puisse espérer, c'est qu'ils ne les empêcheront pas.

Pourtant, les *Xmen via Yish* représentent une toute autre affaire. Ces gens-là sont nés à Jersey et ont de véritables liens affectifs par rapport à l'île – mais ils ne savent pas parler jèrriais. Il y a donc du lieu à croire que ce groupe aura d'étroits liens avec le jèrriais sous forme d'amis ou de parents dialectophones. Selon toute probabilité, donc, les *Xmen via Yish* ressentent une forte identité jersiaise mais, tout simplement, le dialecte ne fait partie de cette identité. A la différence des *Ymen*, il est possible qu'on puisse compter sur ce groupe pour soutenir le jèrriais de façon dynamique. Cependant, pour réaliser ce but, il faudrait leur créer une place au sein de la revitalisation, car les exclure serait se les aliéner. Par conséquent, les revitalisateurs se voient obligés d'aller doucement : en mettant en évidence l'importance du jèrriais pour la préservation d'une identité jersiaise distincte mais, à la fois, en évitant de transmettre l'idée que l'identité jersiaise dépend de la connaissance du jèrriais ; car cela créerait une hiérarchie psychologique entre les deux groupes de *Xmen*. Il s'agit donc de refaçonner l'identité des *Xmen via Yish* et de les convaincre qu'il reste de la place dans leur identité pour cette dimension supplémentaire – qui comprend un élément que relève de la langue ou de la culture jèrriaises, bien qu'elle n'implique nullement une participation active dans ces domaines. Par conséquent, la tâche des revitalisateurs est de persuader la communauté linguistique dite dominante que leur identité actuelle n'est que partielle et qu'elle serait approfondie par ce que John Maher a décrit comme « a search for sidestream roots » (2001 : 324).

Comme il a été dit ci-dessus, en mettant le jèrriais plus en évidence dans la vie quotidienne de la communauté linguistique anglaise de Jersey, la *Section de la Langue Jèrriaise* a réussi à rendre l'élément linguistique de l'identité jersiaise plus à la portée des *Xmen via Yish*. L'initiative éducative jèrriaise a également permis un accès au dialecte chez une génération où il n'existe plus aucun *Xman via Xish* : chose indispensable étant donné que la seule façon dont les revitalisateurs peuvent assurer que le jèrriais se maintiendra en vigueur parmi la communauté linguistique actuelle, c'est de mettre en évidence le rapport entre le dialecte et l'identité de la communauté linguistique non-dialectophone.

Conclusion : Une identité transformée?

Ce chapitre a examiné la façon dont le rapport négatif entre langue et identité – aussi manifeste lors de la dégradation du jèrriais au cours des 19ième et 20ième siècles – a été refaçonné positivement dans le contexte de la revitalisation linguistique. Le jèrriais s'est vu accorder un statut par diverses stratégies linguistiques et non-linguistiques. Les premières l'ayant établi en tant que variété linguistique proprement dite et bien distincte du français, et les dernières ayant déterminé sa réputation et sa lignée. Nous avons également vu comment l'élément linguistique de l'identité jersiaise a été mis à la portée des *Xmen via Yish*. Voilà donc une identité linguistique inclusive que la planification cherche à mettre en évidence vis-à-vis de toutes les deux communautés linguistiques insulaires – qui, pour des raisons différentes, ont besoin d'être convaincues de l'importance de racines 'secondaires'.

Pour conclure, il convient de considérer la nature précise de l'identité jersiaise au début du 21ième siècle. Les démarches de planification se sont données pour tâche de transformer l'identité jersiaise pour les deux communautés linguistiques insulaires afin d'effacer l'image négative qui a entraîné l'abandon du dialecte pendant l'après-guerre, et de sauvegarder l'avenir du dialecte, de la langue. Que la notion d'identité puisse permettre une continuité parmi les membres d'un groupe lors d'un changement linguistique aussi important fait preuve de sa fluidité extraordinaire !

Bibliographie

ANDERSON, B., 1983, *Imagined Communities : Reflections on the Origin and Spread of Nationalism*, Verso, Londres. Réimprimé en 1991.

DORIAN N.C., 1987, 'The value of language-maintenance efforts which are unlikely to succeed' dans INTERNATIONAL JOURNAL OF THE SOCIOLOGY OF LANGUAGE 68, 57-61.

DORIAN N.C., 1998, 'Western language ideologies and small-language prospects' dans *Endangered Languages : Current Issues and Future Prospects*, Cambridge University Press, Cambridge, 3-21.

EDWARDS J., 1985, *Language, Society and Identity*, Blackwell, Oxford.

FALLE, P. 1734, *An Account of the Island of Jersey*, 2ème édition, John Newton, Londres.

FISHMAN J.A., 1991, *Reversing Language Shift*, Multilingual Matters, Clevedon.

FISHMAN J.A., 1996, 'Ethnicity as being, doing and knowing' dans *Ethnicity*, Oxford University Press, Oxford, 63-39.

HILL G.B. (Ed.), 1964, *Boswell's Life of Johnson*, 2ème édition, revue par L.E. POWELLl. Tome 5, Clarendon Press, Oxford.

HINDLEY R., 1990, *The Death of Irish*, Routledge, Londres.

HORNBERGER N.H. et K.A. KING (1996) 'Language Revitalization in the Andes : Can schools reverse language shift?'

dans JOURNAL OF MULTILINGUAL AND MULTICULTURAL DEVELOPMENT 17/6, 427-441.

HUBLART C., 1979, *Le Français de Jersey*, thèse non-publiée, Université de l'État à Mons.

INGLIS, H. 1844, *The Channel Islands*, 4ème édition, Whittaker, Londres.

JONES M.C., 1998a, *Language Obsolescence and Revitalization. Linguistic change in two sociolinguistically contrasting Welsh communities*, Clarendon Press, Oxford.

JONES M.C., 1998b, 'Death of a Language, Birth of an Identity : Brittany and the Bretons', dans LANGUAGE PROBLEMS AND LANGUAGE PLANNING 22/2, 129-142.

JONES M.C., 2001, *Jersey Norman French. A Linguistic Study of an Obsolescent Dialect*, Blackwell, Oxford.

JOSEPH J.E., 2004, *Language and Identity : National, Ethnic, Religious*, Palgrave Macmillan, Basingstoke et New York.

KING K.A., 2001, *Language Revitalization Processes and Prospects. Quicha in the Ecuadorian Andes*, Multilingual Matters, Clevedon.

KULICK D., 1992, *Language Shift and Cultural Reproduction*, Studies in the Social and Cultural Foundations of Language 14, Cambridge University Press, New York.

L'ESTOURBEILLON DE LA GARNACHE Comte R. de, 1886, *Les familles françaises à Jersey pendant la Révolution Forest et Grimaud*, Nantes.

LE MAISTRE F., 1966, *Dictionnaire Jersiais-Français*, Don Balleine, Jersey.

LEBARBENCHON R.J., 1988, *La Grève de Lecq. Littératures et cultures populaires de Normandie, Tome 1 : Guernesey et Jersey*, Isoète, Cherbourg.

MAHER J.C., 'Akor Itak – Our language, your language : Ainu in Japan', dans *Can Threatened Languages be Saved ?* Multilingual Matters, Clevedon, 323-349.

NASH M., 1996, 'The Core Elements of Ethnicity' dans *Ethnicity*, Oxford University Press, Oxford, 24-28.

POOL J., 1979, 'Language Planning and Identity Planning' dans INTERNATIONAL JOURNAL OF THE SOCIOLOGY OF LANGUAGE 20, 5-21.

Recensement   de   Jersey,   2001,   http://www.gov.je/ statistics/census.asp

ROTTLAND F., et D.O. OKOMBO 1992, 'Language Shift among the Suba of Kenya' dans *Language Death : Factual and Theoretical Explorations with Special Reference to East Africa*, Mouton de Gruyter, New York et Berlin, 273-283.

SCHMIDT A., 1985, *Young People's Dyirbal*, Cambridge : Cambridge University Press, Cambridge.

SYVRET M., et STEVENS J., 1998, *Balleine's History of Jersey*, Phillimore, West Sussex.

TRUDGILL P., 1983, 'Language contact, language shift and identity', dans *On Dialect. Social and Geographical Perspectives*, Blackwell, Oxford, 127-140.

UTTLEY J., 1966, *The Story of the Channel Islands*, Faber and Faber. Londres.

WEINREICH U., 1953, *Languages in Contact : Findings and Problems, Linguistic Circle of New York*, New York. (Réimprimé 1963) Mouton, La Haye.

ZEPEDA O., et J.H. HILL 1991, 'The Condition of Native American Languages in the United States', dans *Endangered Languages*, Berg, Oxford, 135-155.

CHAPITRE 2

LES COMMENTAIRES ÉPILINGUISTIQUES SUR LA LANGUE CAUCHOISE

AUTOUR D'UN CORPUS DISCURSIF INCONTRÔLABLE[1]

Introduction

Nous proposons de rendre compte d'une part (encore non exploitée) du corpus réuni sur les discours tenus par les Cauchois[2] sur leur langue[3]. En effet, le dernier temps du recueil des discours s'est fait sous la forme de questionnaires écrits pour partie diffusés dans le *Courrier Cauchois* et pour partie auprès de lycéens et d'étudiants d'établissements du Pays de Caux. C'est à partir de ce dernier moment, que, rapportés aux résultats de l'enquête famille de l'INSEE/INED de 1999, 19,1% des Cauchois déclaraient être des locuteurs du cauchois, de la langue posée comme identitaire du territoire juste après la langue française. Nous avons ainsi pu conclure à l'époque (Bulot, 2006 : 197-198) qu'il existait ainsi « *...aujourd'hui une communauté sociolinguistique cauchoise, caractérisée par a) des discours sur la langue, b) des lieux et modalités d'interaction spécifiques, c) des compétences linguistiques partagées, et transmises des attitudes langagière et linguistique congruentes et, finalement, par une identité linguistique perçue et vécue comme commune.* ». Ces analyses ont permis de dépasser quelques stéréotypes sur la langue cauchoise en faisant valoir, par des tests de compétence, que nombre de Cauchois

---

[1] Thierry Bulot, PREFics-EA 3207, Université Européenne de Bretagne, Rennes 2 (France).

[2] Nous renvoyons à l'enquête analysée dans Bulot (2006).

[3] Nous n'entrons pas ici dans le débat sur ce qu'est une langue d'un point de vue sociolinguistique : nous renvoyons pour cela à ce que nous avons écrit sur le sujet (Bulot, 2006 : 45-46 et 47-50).

savaient non seulement dire leur pratique mais encore faire preuve d'une compétence réelle ; il y a ainsi une modernité dialectale où la diglossie s'estompe au profit d'une *diglomorphie*[4], où les changements sociaux ne relèguent plus la langue cauchoise dans les campagnes et surtout où les plus jeunes des Cauchois ont non seulement un discours sur la langue[5] mais encore des compétences linguistiques actives et passives attestées.

Les questionnaires évoqués se terminaient par cette indication : « *17. Si vous souhaitez ajouter quelque chose, écrivez-le ici :* ». Dans les faits, plus souvent par principe que par souci d'efficacité, nombre de questionnaires sociolinguistiques – par définition ne donnant ni une place à l'oralité ni surtout une possibilité de changer les rôles et initiatives verbaux car écrits - se terminent par la possibilité offerte aux enquêté-e-s de laisser libre cours à leurs commentaires. Dans peu de cas, à notre connaissance, ces réponses donnent lieu à analyse et description soit parce qu'elles sont trop peu nombreuses soit, et sans doute surtout, parce qu'elles constituent un corpus incontrôlable que l'on se doit pourtant de considérer comme un discours[6] : elles ne sont ni des questions ouvertes à proprement parler, ni des questions

---

[4] Nous réservons ce terme à des situations post-diglossiques où les rapports entre langues (ici le français et le cauchois) sont caractérisés essentiellement par la dominance plus que par de la domination. Ainsi, en même temps que la répartition fonctionnelle entre le cauchois et le français doit pouvoir s'apprécier *en langue* en terme de continuum et donc de polarisation, elle est à considérer *en discours* comme une situation *méta-diglossique* où plus que du nivellement linguistique, la pluralité de l'identité linguistique s'exprime aussi en terme de *limite* (Bulot, 2004) et non plus seulement en terme de *frontière* linguistique (même si les deux discours co-existent).

[5] Pour rappel, ils sont 10,1% à se déclarer locuteurs de la langue.

[6] Le considérer comme tel implique notamment que les catégorisations obtenues sont des objets de discours c'est-à-dire les produits d'une interaction spécifique entre deux interlocuteurs médiés ou non, et que les réponses procèdent d'une formation discursive accordant des choix énonciatifs qui lui sont limités..

fermées et pourtant, elles instaurent et promeuvent, dans le moment discursif (on y désigne, on y évalue socialement des pratiques, des personnes, des groupes...) que constitue le questionnaire, un moment où le/la locuteur/trice (sous couvert d'anonymat total) peut renverser le contrat énonciatif à son seul bénéfice, si il/elle peut en faire *sa* flèche du Parthe[7].

Commenter et déclarer : quelles corrélations ?

Les commentaires : approche quantitative

Dans le cas d'une enquête épilinguistique et notamment dans une situation de minoration sociolinguistique, il nous est apparu opportun de confronter ces productions non contrôlables[8] aux réponses issues du questionnaire-même ; pourquoi ? d'abord parce que sur les 384 questionnaires recueillis et analysés dans le cadre de la recherche globale[9], ce sont plus de 38% des Cauchois interrogés qui ont ajouté un commentaire. Surtout parce qu'une lecture uniquement quantitative fait apparaître deux faits intéressants.

D'abord, se manifeste une corrélation entre la réussite au test de compétence linguistique et l'apparition d'une réponse ; si nous avons déjà montré que le fait de se déclarer locuteurs/trices du cauchois se retrouvait dans la justesse des réponses et de fait impliquait pour ceux-là des scores plus élevés que les autres personnes enquêtées, il apparaît premièrement que ceux/celles qui complètent la rubrique

---

[7] Cette technique est plus souvent utilisée par l'enquêteur dans des entretiens pour donner le sentiment à l'enquêté que le moment de recueil est terminé. De cette façon, il espère conduire l'enquêté à se démarquer du contrôle social qui prévaut dans des interactions asymétriques et dès lors à produire des discours peut-être plus proches de ses représentations et de son système d'habitus.

[8] En fait beaucoup plus proche de la dynamique et du fonctionnement d'un entretien, mais sans prendre le risque d'une évaluation intersubjective négative.

[9] Rappelons que le recueil des discours a eu lieu entre juin 1998 et décembre 2003.

« ajouts » sont plus nettement des locuteurs et locutrices
déclarées. En effet, ils passent de 21,9% à 36,4% de
l'échantillon global. Il apparaît deuxièmement que leurs
résultats sont nettement meilleurs à ces mêmes tests.

Cela est particulièrement remarquable pour les gradients
supérieurs de l'échelle des scores : ceux compris entre 8 et 12
points atteignent 49,8% sur l'échantillon général et passent
alors à 75,2%. (Figure 1).

Ensuite, se dégage une corrélation entre le facteur âge et
l'apparition d'une réponse (Figure 2) : plus on est âgé plus on
complète le questionnaire par un commentaire personnel. Mais,
pour autant, les plus jeunes (le groupe D, nous y reviendrons)
ne sont pas muets : ils sont 26% à émettre un commentaire ce
qui n'est pas négligeable du tout, la vulgate les considérant
comme n'étant pas concernés tant par les pratiques que par les
discours relatifs à la pratique régionale de la langue. Reste à
savoir que qu'ils disent effectivement...

	Locuteur		
Score	non	oui	Total
1	0,8%	0,0%	0,8%
3	0,8%	0,0%	0,8%
4	3,1%	0,0%	3,1%
5	2,3%	1,6%	3,9%
6	7,0%	0,8%	7,8%
7	8,5%	0,0%	8,5%
8	7,0%	3,1%	10,1%
9	13,2%	5,4%	18,6%
10	10,9%	10,1%	20,9%
11	9,3%	14,0%	23,3%
12	0,8%	1,6%	2,3%
Total	63,6%	36,4%	100,0%

Figure 1. Les scores de ceux qui complètent la question 17

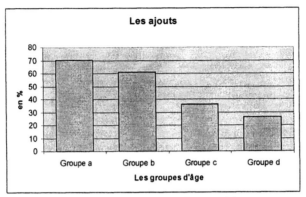

Figure 2. Le rapport « ajouts » / âge

Ajouter un commentaire ou se dire Cauchois

De fait, cela pose au moins une première question relative au sentiment identitaire : s'agit-il pour eux de confirmer ou dénier des attitudes langagières /et ou linguistiques[10], d'affirmer ou d'infirmer des pratiques, d'affirmer pour certains un statut d'acteurs voire d'instances (Bulot, 2006 : 55) glottonomiques ? Puis, cela en pose une seconde relative aux modalités mêmes de ce type de discours : est-ce que cette partie des réponses constitue en tant que telle un *indicateur sociolinguistique d'identité*, non pas tant pour ce qui y est dit de la langue (qui

---

[10] Cette distinction entre deux types d'attitudes permet de cerner les différents types de discours normatifs ; concrètement, on va de : « réserver le terme d'*attitude linguistique* à toute attitude qui a pour objet *la langue en tant que système*, en tant que norme réelle ou imaginaire, et qui induit des comportements normatifs, prescriptifs ou non, tolérants ou puristes. (...) [et de poser le terme] d'*attitudes langagières* [pour] celles qui ont pour objet *le langage et les usages en tant qu'éléments marqueurs d'une catégorisation du réel.* (Bulot et Tsekos, 1999).

relève d'une analyse des discours) que pour ce qui y est dit des stratégies identitaires[11] des plus jeunes Cauchois.

Le groupe D comprend 206 personnes qui sont nées entre 1979 et 1988 au moment de l'enquête 2003 (entre 24 et 15 ans, et la majorité – 74,5% - s'entre eux a entre 16 et 17 ans) ; ils sont 54 (14% de l'échantillon global et 26,2% du sous-échantillon) à avoir produit un commentaire et les 16/17 ans sont également majoritaires (74,1%). La répartition entre filles et garçons est également équilibrée dans la mesure où elle passe respectivement de 59,9%/40,1% à 50%/50% pour le sous-échantillon. La proportion de ruraux et d'urbains qui est de un tiers / deux tiers pour l'ensemble du groupe D se rapproche de la parité pour ceux qui produisent un texte ; cela signifie que les jeunes urbains ont tendanciellement plus répondu que les jeunes ruraux. Par ailleurs, ils vont d'autant plus répondre à la question qu'ils seront d'abord issus de l'aire urbaine yvetotaise. Autrement dit, il semble qu'être de l'espace de référence du cauchois rend davantage possible d'assumer et de produire explicitement un discours sur le cauchois.

Sur l'ensemble de l'échantillon[12], ils sont 77,5% à ne pas se déclarer locuteurs du tout ; dès lors qu'un texte est produit le nombre de locuteurs déclarés passe de 9,3% à 17%. On se rapproche ainsi du 19,1% de la totalité de l'enquête et on dépasse largement les 10,1% de l'échantillon. Il convient par ailleurs de considérer les 9,4% qui ne polarisent pas leur réponse et particulièrement que ce sont les filles qui dominent cette attitude (Figure 3) : 15,4% contre 3,7% pour les garçons. Au bilan, il semble que les jeunes qui ont produit une réponse « ajouts » sont tendanciellement ceux qui assument une pratique sans pour autant que la tendance ne se renverse.

---

[11] Voir Camilleri (1990, 1996) pour le concept et Wald et Manessy (1979) pour le rapport au plurilinguisme.

[12] A partir de maintenant parler d'« échantillon » renvoie au seul groupe D ; pour parler de l'ensemble de l'enquête, nous parlerons d'« échantillon général ».

Parlez-vous cauchois ?	Locutrices			
	non	*oui*	*oui/non*	Total
a	19,2%	0,0%	0,0%	19,2%
b	30,8%	0,0%	0,0%	30,8%
c	23,1%	0,0%	0,0%	23,1%
d	0,0%	0,0%	15,4%	15,4%
e	0,0%	7,7%	0,0%	7,7%
g	0,0%	3,8%	0,0%	3,8%
Total	73,1%	11,5%	15,4%	100,0%

Figure 3. Locutrices / non-locutrices

Les réponses à la désignation des pratiques régionales sont également affectées par cet indicateur : le français et le cauchois définis comme étant les langues de la région (82,9% et 67,2% des réponses sur l'échantillon général) restent et majoritaires et hiérarchisés à l'identique mais avec quelques nuances ; les jeunes ont une évaluation à la baisse pour le français qui passe à 80,7% pour le groupe puis à 74,1% dès lors qu'un texte est produit. Le cauchois, lui, reste quasiment stable pour le groupe D (67,8%) qui partage les attitudes langagières de la globalité de l'échantillon, mais chez ceux d'entre eux qui ont produit un texte, *le cauchois est à 83,3% la langue de la région, résultat qui, de fait, supplante celui du français.*

Les attitudes langagières relatives au bilinguisme français/cauchois [13] ne changent pas significativement sinon qu'elles renforcent les polarisations attitudinales : parler le cauchois sans le français est d'autant plus perçu comme gênant qu'on n'est ni locuteur ni une personne ayant complété la question 17 (mais ces variables sont concomitantes) et le

---

[13] Pour une personne, savoir parler le cauchois *sans savoir parler le français* est ?
Gênant ☐ ☐ ☐ ☐ ☐ ☐ avantageux
Pour une personne, savoir parler le cauchois *en sachant parler le français* est ?
Gênant ☐ ☐ ☐ ☐ ☐ ☐ avantageux

bilinguisme français cauchois est en tout point inversement perçu.

A la question relative à la transmission[14], on constate que les jeunes ayant produit un texte final sont plus favorables à demander que le cauchois soit appris que l'ensemble du groupe (29,3% pour les gradients e, f, g, contre 34% si un texte est produit). Globalement et même si le score reste très en deçà de l'échantillon général (36,6%), l'attitude négative reste très largement majoritaire mais est moins polarisée (Figure 4).

Apprendre aux jeunes ?	Locuteur			
	non	oui	oui/non	Total
a	38,5%	22,2%	0,0%	32,1%
b	17,9%	0,0%	0,0%	13,2%
c	12,8%	0,0%	20,0%	11,3%
d	5,1%	11,1%	40,0%	9,4%
e	7,7%	22,2%	0,0%	9,4%
f	7,7%	11,1%	20,0%	9,4%
g	10,3%	33,3%	20,0%	15,1%
Total	100,0%	100,0%	100,0%	100,0%

Figure 4. Apprendre le cauchois/ produire un texte

Si la plupart des autres attitudes évaluées par le questionnaire à savoir celles concernant les médias audio-visuels, la préservation du cauchois... (cf. annexes pour le détail des questions) sont dans le même rapport proportionnel[15], ça n'est pas exactement le cas de toutes ; en effet les réponses à la question 12 « *Pensez-vous qu'on doit lire davantage de cauchois dans les journaux régionaux ?* » font valoir une forte distinction au sein du groupe D ; celle-ci ne se lit pas à partir du genre, de l'aire urbaine d'appartenance ou autre variable, mais à partir de la variable « ajouts ». En effet, l'attitude relative aux médias de presse est à la fois sur l'échantillon général et à la

---

[14] « Pensez-vous qu'on doive apprendre le cauchois aux jeunes ? »

[15] Les polarisations sont identiques et la variation des proportions ne joue que sur quelques unités de chiffres fort peu significatives.

fois sur le groupe D fortement négative (respectivement 50,4% et 60,6% pour les gradients a, b et c) mais pour ce dernier, produire un texte « ajout » laisse paraître que ceux qui le font sont beaucoup plus favorables à la presse que les autres : dans le groupe D, ceux qui ne produisent aucun texte sont 24,8% à produire des attitudes positives (gradients e, f, g) contre 28,3% pour l'ensemble de l'échantillon (le groupe D) mais, surtout, contre 37,7% pour ceux qui écrivent.

Pour faire un bilan rapide de ces remarques, il semble que la tendance soit la suivante : au sein du groupe D (les plus jeunes), se distingue de fait un sous-groupe de personnes qui singularise ses réponses au questionnaire par la production d'énoncés. Sans présumer de ce que sont ces énoncés, il semble que leur présence constitue un marquage langagier de la vitalité linguistique – en partie analogue, en partie spécifique – du cauchois chez les plus jeunes Cauchois.

Mais que disent-ils exactement ?

Mais que disent-ils ? les discours en question

Tout d'abord, de quoi parlent-ils ? Une analyse de contenu fait apparaître une liste de spécificateurs relativement importante (19 items[16]) mais qu'il convient de nuancer.... Sur les 80 itérations d'items, 23 sont relatives au questionnaire lui-même. Elles ne sont pas négligeables en elles-mêmes, mais ne sont pas pour autant celles qui vont relever des discours épilinguistiques. Par ailleurs, cette liste a le mérite de faire valoir certaines des catégorisations connues et attestées dans les travaux sur les langues minorées comme autant de discours sur la minoration : le parler de la famille, les histoires drôles, la vulgarité... comme si la langue devait se limiter à des usages moins valorisants. Pour autant, notre objet n'est pas là. Nous

---

[16] Liste des items par ordre décroissant : Questionnaire 23, Langue 9, Enseignement 8, Parler cauchois 6, Préservation 5, Patrimoine 4, beauté 4, Oral 3, Intonation 2, curiosité 2, médias 2, Famille 1, Histoires cauchoises 1, admiration 1, écrit 1, vulgarité 1, Drôle 1, Ville/campagne 1, Inutile 1.

avons choisi de rendre compte des discours épilinguistiques[17] récurrents[18] tenus sur a) la langue, b) l'enseignement et c) la préservation de la langue.

La langue

Ces énoncés sont produits majoritairement par des non-locuteurs et par des filles (7 sur 9) et sans que cela soit les mêmes qui, majoritairement pensent que le cauchois est à préserver (7/9), à apprendre aux jeunes (6/9) et que les hommes sont ceux qui parlent le plus le cauchois. Il est intéressant de constater a) l'emploi du terme *langue* en regard avec celui de *langage*, mais toujours associé à d'autres langues dites vivantes ou non et surtout b) l'absence des termes *patois* ou *dialecte*.

Corpus : le cauchois est une langue, un langage

*1. [Lang.D] selon moi : le **cauchois** est un **langage** qui doit continuer à exister mais ne doit pas remplacer le bon français, ça doit être une **langue** parallèle*

*2. [Lang.D] je pense que le **cauchois** est comme le latin, grec il doit être préservé car c'est un bout de notre histoire du Pays de Caux*

*3. [Lang.D] il serait bien que le **cauchois** soit une option facultative comme le latin ou le grec*

*4. [Lang.D] j'aurais aimé avoir le **cauchois** comme option à la faculté, nous avons bien le catalan, pourquoi n'aurions nous pas le cauchois, qui fait tout de même partie de nos racines. De plus, je pense que cela serait une grande perte culturelle si nous réterions le **cauchois** chez les générations à venir. Cela serait un grand cadeau pour nos grands-parents que de nous entendre parler la **langue** qu'ils ont connu.*

*5. [Lang.D] Je pense qu'il serait bien de trouver encore quelques pages en **cauchois** dans les journaux, car pour nos générations antérieures (grands-parents), cela fait partie du patrimoine*

---

[17] En l'occurrence, les discours tenus par les plus jeunes sur la façon de parler (corpus dit *[Lang.D]* et particulièrement les énoncés comprenant les termes glossonymiques.

[18] Ils sont transcrits tels qu'ils ont été produits par les informateurs et informatrices.

culturel et cette **langue** a représenté pour eux une **langue** de tous les jours.

6. *[Lang.D] vive le **cauchois**!! A chacun sa **langue** régionale!*

7. *[Lang.D] des écoles dvraient faire apprendre aux élèves le **langage régional** dès le plus jeune âge (CP)*

8. *[Lang.D] chacun sa **langue**. Tout le monde à plus au moin parler au moin une fois le **cauchois** ex : Boujoux*

9. *[Lang.D] A mon stade d'éducation, le **cauchois** me paraît être une **langue étrangère**, ce qui est bien dommage!*

L'enseignement

Les premiers énoncés en faveur de l'enseignement du cauchois sont produits majoritairement par des filles (4/6) qui en totalité pensent que le cauchois doit être préservé ; ils/elles pensent pour moitié que les femmes sont celles qui parlent le plus le cauchois. Les réponses sont le fait de non-locuteurs en forte proportion (5/6).

Corpus : le cauchois doit être préservé, enseigné, appris

10. *[Lang.D] Je pense que le **cauchois** doit être préserver, il fait parti de notre patrimoine, notre culture notre histoire et cela serait très intérressant que l'on fasse un cours de **cauchois** aux jeunes pour leur permettre de mieux connaître l'histoire du pays de caux et de leur grand-parents.*

11. *[Lang.D] il serait bien que le **cauchois** soit une option facultative comme le latin ou le grec*

12. *[Lang.D] j'ai trouvé cette étude interssante malgré mes très faibles connaissances dans le **language Cauchois**. Je pense qu'il est important de parler de ce **langage** aux jeunes car cela représente pour certain d'entre nous notre passé. Nos ancêtres parlaient **Cauchois**? il ne faut pas perdre ce **language***

13. *[Lang.D] j'aurais aimé avoir le **cauchois** comme option à la faculté, nous avons bien le catalan, pourquoi n'aurions nous pas le **cauchois**, qui fait tout de même partie de nos racines. De plus, je pense que cela serait une grande perte culturelle si nous réterions le **cauchois** chez les générations à venir. Cela serait un grand cadeau pour nos grands-parents que de nous entendre parler la **langue** qu'ils ont connu.*

14. *[Lang.D]Savoir parler* **cauchois** *peut être intéressant mais il serait bien de l'apprendre à l'école mais en option facultative*

15. *[Lang.D] des écoles dvraient faire apprendre aux élèves le* **langage régional** *dès le plus jeune âge (CP)*

Les énoncés contre l'enseignement du cauchois sont le fait de non-locuteurs (2/2) partagés entre préservation ou non-préservation et qui sont plus enclins à penser que les hommes sont les locuteurs du cauchois. Ce ne sont que des filles (2/2). Il faut par ailleurs noter leur insécurité linguistique en français.

16. *[Lang.D]Protèger le* **cauchois** *oui mais l'apprendre aux jeunes dans le milieu scolaire alors qu'on essaye justement le leur apprendre à parler le français correctement non*

17. *[Lang.D]Je pense que le* **cauchois** *ne doit pas nous être apris car si nous savions le parler nous nous emmellerons avec le français. (Déjà que nous le parlons pas comme il faudrait)*

La préservation

Les discours sur la préservation du cauchois sont le fait majoritairement de filles (4/6) et presque unanimement (5/6) en faveur de la préservation du cauchois. Une moitié d'entre elles pensent (3/3) que ce sont les hommes qui parlent le plus cauchois.

Corpus : le cauchois est à conserver, à préserver

18. *[Lang.D]selon moi : le* **cauchois** *est un* **languauge** *qui doit continuer à exister mais ne doit pas remplacer le bon français, ça doit étre une* **langue parallèle**

19. *[Lang.D]je pense que le* **cauchois** *est comme le latin, grec il doit être préservé car c'est un bout de notre histoire du Pays de Caux*

20. *[Lang.D]Je pense que le* **cauchois** *est à conserver mais qu'il ne faut pas en abuser, parce que c'est pas super beau (à entendre surtout).*

21. *[Lang.D]Je pense que le* **cauchois** *doit être préserver, il fait parti de notre patrimoine, notre culture notre histoire et cela serait très intérressant que l'on fasse un cours de* **cauchois** *aux jeunes pour leur permettre de mieux connaître l'histoire du pays de caux et de leur grand-parents.*

22. *[Lang.D] Protèger le **cauchois** oui mais l'apprendre aux jeunes dans le milieu scolaire alors qu'on essaye justement le leur apprendre à parler le français correctement non*

23. *[Lang.D] Je pense que le **cauchois** doit exister et rester parmis nous*

Les discours sur la non-préservation du cauchois se limitent à un énoncé qui est le fait d'une fille, non-locutrice, hostile à la préservation (les attitudes sont en cela cohérentes) et qui pense que ce sont les femmes qui parlent le plus le cauchois.

24. *[Lang.D] Il faudrait arreter de parler **cauchois** car c'est très moche*

Les équivalences discursives

L'analyse des distributions[19] par mots-pivots centrée sur le glossonyme « cauchois » fait apparaître, dans le discours de ces jeunes Cauchois une diversité attitudinale contrastée eu égard (Bulot, 2006 : 66-80) à celle d'une population plus âgée. Ainsi trouve-t-on un ensemble de traits définitoires situé sur un continuum certes axiologique mais tendanciellement davantage dans l'assertion desdits traits que dans leur négation.

Soit la matrice discursive suivante :

Le cauchois est une/la langue qui {état, inclusion}

État => (devoir)+ (V) + (être) + (SA) + (SN)

Inclusion => faire partie de + SN

État du cauchois (assertion/ négation)

En termes d'assertion, la mise en équivalence permet de saisir une part des rapports de dominance chez les jeunes Cauchois : les termes langue et langage sont deux rapportés au trait « régional » (ce qui en l'occurrence renvoie nécessairement au pays de Caux comme le montrent nos précédentes études) ; par ailleurs, l'indéfinition renvoie au champ dénominatif des politiques linguistiques éducatives françaises : le cauchois est

---

[19] Voir Bulot (2006 : 86 et les suivantes) pour le détail d'une telle méthodologie.

une langue étrangère quand en même temps, la définition, parce que « de nos grands-parents » et « de tous les jours » sont mis en équivalence, fait état des pratiques perçues et vécues par les jeunes Cauchois : le cauchois est, pour le moins, mis en mots en tant que pratiques quotidiennes et intergénérationnelles.

Le cauchois	est	une (langue) étrangère
	(langue/langage)	la (langue) de nos grands-parents
		la (langue) de tous les jours
		la (langue) régionale
		le (langage) régional

Les termes axiologiques sont peu nombreux en tant que tels mais permettent de rendre compte de la diglomorphie de la situation des langues en pays de Caux : sans oublier que les enquêtés sont tous encore scolarisés (ce qui peut avoir des effets sur les discours produits), on constate un apparent paradoxe concernant les normes évaluatives (Baggioni et Moreau, 1997 : 222) où le discours social sur l'usage du cauchois – sans doute pour autrui – devient positif tout en restant pour partie marqué négativement.

Le cauchois	est (langue/langage)	intéressant à parler
		très moche à entendre
	n'est pas	super beau à entendre

Entre ce que le cauchois est dit être et entre ce qu'il doit être (ce qui suppose qu'il ne l'est pas au moment de l'énoncé), on trouve le discours des acteurs glottonomiques sur le futur, immédiat ou non de la langue). Il est frappant de constater que les discours sur la préservation de la langue passent très majoritairement par la mise en équivalence de termes revoyant à l'enseignement, l'apprentissage (« être protégé, être conservé, être préservé, être appris aux élèves, être parlé ») davantage qu'à des termes relatifs à la transmission. Il est bien entendu récurrent de trouver dans les discours sur les langues minorées et minoritaires l'idée que tout irait au mieux et bien mieux si la langue était enseignée, mais ce qui est ici nouveau (pour le cauchois) est que ce discours est aussi tenu par les plus jeunes des Cauchois. On retrouve par ailleurs l'ambivalence du discours évaluatif dans la mesure où co-existe une évaluation et son contraire (« être parlé / appris ») ainsi que le rapport insécure à la langue française (« ne doit pas remplacer le bon français ») qui demeure en situation d'hégémonie.

Le cauchois	doit (langue/langage)	continuer d'exister exister (je) rester parmi nous (je)
		être protégé être conservé (je) être préservé (je) être appris aux élèves être parlé aux jeunes (je)
		être une option facultative être une option à la faculté (je) être une langue parallèle
	ne doit pas (langue/langage)	remplacer le bon français
		être appris (je/nous) être parlé être perdu

Reste que ces discours révèlent une forte implication (les « je » ci-dessous) des jeunes locuteurs vis-à-vis de leurs évaluations ; et c'est sans doute le point le plus caractéristique de ces discours : une population jeune assume un discours évaluatif positif sur une langue communément approchée – par les linguistiques et les politiques à tout le moins – comme ne relevant que d'une population vieillissante avec des usages langagiers en obsolescence.

Inclusion

La description spontanée[20] de la langue par les jeunes
Cauchois fait acte d'un discours identitaire sans doute fort
attendu si l'on considère une langue majoritaire comme le
français mais évidemment moins convenu concernant le
cauchois puisque les notions de patrimoine et d'histoire sont
abondamment convoquées ; il convient sans doute de nuancer
ce propos car si les équivalences font bien état des relations
entre culture et histoire, elles ne donnent rien à voir des
pratiques modernes qu'il faut aller lire dans les définitions de la
langue. Il faut sans doute voir là l'inachèvement ou davantage
la trace d'un processus en cours depuis quelques années : la
reconnaissance-naissance (Marcellesi, 1986 : 26) du cauchois.

Le cauchois	fait partie (langue/langage)	du patrimoine culturel de notre patrimoine de notre culture de notre histoire de nos racines de nos ancêtres

Conclusion

Nos précédents travaux ont montré qu'existait une
communauté sociolinguistique cauchoise parce que l'on pouvait
attester de l'existence de discours sur la langue, de la présence
de lieux et de modalités d'interaction spécifiques, de la réalité
de compétences linguistiques partagées et transmises,
l'élicitation d'attitudes langagière et linguistique spécifiques et,
enfin, de la mise en mots d'une identité sociolinguistique

---

[20] Rappelons que ces discours ne proviennent pas d'une question à
proprement parler et que de ce fait les 'réponses' sont totalement
ouvertes voire imprévisibles.

perçue et vécue comme commune. Nous avions par ailleurs montré qu'il fallait reprendre de manière critique quelques stéréotypes et admettre que le cauchois est aussi une langue de jeunes, une langue urbaine, une langue de la modernité et, partant, une langue pratiquée, même si, par ailleurs, elle ne saurait être – comme toute langue – la langue d'antan[21].

Revenir sur ces conclusions n'a de sens que dans la mesure où nous avons ici focalisé notre attention sur une partie réduite de l'échantillon initial. Les discours d'un groupe singulier (ceux qui répondent à la question 17) ne sont pas radicalement différents de l'échantillon (le groupe D) ; les discours proposés vont dans le sens d'un mouvement de reconnaissance-naissance du cauchois ; les avis ne sont pas unanimes mais des discours positifs et structurants de la langue sont lisibles ; en cela ce *corpus incontrôlable* constitue pour l'enquêteur, par la tribune qu'il permet aux enquêté-es, une source d'observables précieux et un objet de réflexion non négligeable d'un point de vue méthodologique pour l'approche des langues minorées.

Bibliographie

BAGGIONI D., MOREAU M.-L., 1997, « Norme », dans *Sociolinguistique – Concepts de base*, Mardaga, Sprimont 217-223.

BULOT T., 2004, « Les frontières et territoires intra-urbains : évaluation des pratiques et discours épilinguistiques », dans *Le città plurilingui. Lingue e culture a confronto in situazioni urbane / Multilingual cities. Perspectives and insights on languages and cultures in urban areas*, Forum Editrice Universitaria Udinese srl, Udine, 110-125.

BULOT T., 2006, *La langue vivante (L'identité sociolinguistique des Cauchois)*, L'Harmattan, Paris, 223 pages.

BULOT T., TSEKOS N., 1999, « L'urbanisation linguistique et la mise en mots des identités urbaines », dans *Langue urbaine et identité (Langue et urbanisation linguistique à Rouen, Venise, Berlin, Athènes et Mons)*, Paris, L'Harmattan, 19-34.

---

[21] Car nécessairement, elle change dans la mesure où les sociétés changent également.

CAMILLERI C et alii, 1990, *Stratégies identitaires*, PUF, Paris, 232 pages

CAMILLERI C., 1996, « Stigmatisation et stratégies identitaires », dans *La ville : agrégation et ségrégation sociales*, L'Harmattan, Paris, 85-92.

MARCELLESI J.-B., 1986, « Actualité du processus de naissance de langues en domaine roman », CAHIERS DE LINGUISTIQUE SOCIALE 9, Université de Rouen-IRED, Mont-Saint-Aignan, 21-29.

WALD P., MANESSY G., 1979, *Plurilinguisme : normes, situations, stratégies*, L'Harmattan, Paris, 283 pages.

Annexes : le questionnaire

Principes de réponses au questionnaire
« Que parle-t-on en Pays de Caux ? ».

Il est important de savoir qui répond aux différentes étapes du questionnaire.
Pour cela, nous vous demandons de votre CODE constitué des initiales de vos nom et prénom, les deux derniers chiffres de votre année de naissance et les deux premières lettres de votre lieu de naissance.
Rappelons que le questionnaire est totalement anonyme.

Votre code :

1) Pour mieux vous connaître
Vous êtes une femme ☐ vous êtes un homme ☐
Vous êtes né(e) en :   Vous êtes né(e) à :
Vous habitez en ville ☐ dans un village ☐ dans la périphérie d'une grande ville ☐
Depuis combien de temps (années) :
Nommez la commune (facultatif) :
Quelle est votre profession ? (si vous êtes retraité précisez de quelle activité) :
Quel métier faisaient ou font vos parents ?
Où sont- ils nés ? (ville, village, pays)

---

2) Qu'est-ce qu'on parle dans notre région ?
Mettre une croix pour répondre « oui ». Vous pouvez mettre une croix dans plusieurs cases.

On parle français   ☐
On parle bien français   ☐
*   Donnez des exemples :*
On parle français à notre façon   ☐
*   Donnez des exemples :*
On parle mal français   ☐
*   Donnez des exemples*
On parle cauchois   ☐
*   Donnez des exemples :*
On parle patois   ☐

> *Donnez des exemples :*
On parle normand   ☐
> *Donnez des exemples :*
On parle aussi d'autres langues   ☐
> *Lesquelles ?*

Essayez de définir les termes suivants :
« français régional » :
« langue régionale » :
« patois » :

---

3) *Qu'est-ce que vous pensez des gens qui emploient des mots, prononciations ou expressions de notre région*
(comme par exemple « ça va-ti ? » « c'est rien beau ! » « Il va se prendre une pèque »,
ou « c'est au plus fort la pouque »?)
Cochez la ou les cases que vous choisissez puis classez-les (en mettant en premier choix 1, puis en deuxième 2, etc.

	Oui	ordre
Ils ont raison, car c'est expressif	☐	☐
Ils ont bien le droit	☐	☐
Ils ont tort car ils parlent mal	☐	☐
C'est du vieux français	☐	☐
C'est du patois	☐	☐
Ça fait campagnard	☐	☐
Ça fait décontracté	☐	☐
Ça fait vieux	☐	☐
C'est sympa	☐	☐
C'est rigolo	☐	☐
Ce n'est pas beau	☐	☐
J'aime bien	☐	☐
J'en connais	☐	☐
C'est très rare	☐	☐
C'est écolo	☐	☐

---

4) *Comment pourriez vous décrire la façon de parler (ou d'écrire) le cauchois à quelqu'un qui cherche à l'apprendre ?*

---

5) *Est-ce que vous connaissez ces mots et ces phrases ?*
Reliez par des traits les éléments de la colonne A avec la définition dans la colonne B

A	B
i nos canule pas anuit	*Comme il nous ennuie, aujourd'hui* *Il ne nous ennuie pas* *Il a chaud la nuit*
Bouiner	*Pleuvoir un peu* *Pleurnicher* *Ne rien faire d'important*
Il est de la goule	*Il parle beaucoup* *Il a une maladie* *Il est gourmand*

Il braille	*Il crie* *Il pleure* *Il a sommeil*
Mou comme une chique	*Très mou* *Très dur* *Très gentil*
On est rendu	*On est arrivé* *On a abandonné la partie* *On est malade*
Il est vraiment chabrac	*Il est vraiment maladroit* *Il est vraiment idiot* *Il est vraiment chahuteur*
Pourqui fé ?	*Pour quelle fête ?* *Pourquoi faire ?* *Pour quelle fois ?*
Boujou bien	*Je t'embrasse fort* *Au revoir* *Je t'embrasse bien*
Un marcou	*Un chat* *Un marteau* *Un gros crayon*
Ouyou qu'a va?	*Un coup de calva ?* *Où va t elle ?* *Comment va t elle ?*
Il a mouru	*Il est mort* *Il a mordu* *Il a de la morue*

6) *Comment diriez-vous autrement ...*
Entourez le mot que vous choisissez et éventuellement ajoutez un mot (ou un groupe de mots) à la fin de la ligne
Notez bien que vous pouvez entourer plusieurs mots ou aucun mot

Croquer à pleines dents :Mordre à même - ....
C'est très bon :c'est pas mauvais – c'est rien bon - ...
Tu es bête : tu es niant – Tu es picôt - ...
C'est son fils :c'est son gars – c'est son rejeton - ...
Le repas pris dans l'après-midi : le quatre heures – la collation - ...
Il boude :   il bouque – il fait la tête - ...
Il était en train de parler : il causait – il bavachait - ...
La bordure de la route :le talus – la banque - ...
Une gifle :   une calotte – une pèque - ...
Quelqu'un de têtu : quelqu'un de machu – quelqu'un cabochard - ...

7) *Évaluez les phrases suivantes*
Est-ce que c'est du bon français (BF), du mauvais français (MF), du français familier (FF), du français régional (FR), du normand ou du cauchois (NC) ?
Vous pouvez donner plusieurs évaluations pour un même exemple

	BF	MF	FF	FR	NC
Exemple : Je suis extrêmement contrarié	X				
Il m'a rien énervé !					
Je ne comprends pas comment on peut être tatasse à ce point-là !					
Il adore le saucisson d'aïl en entrée					
Fair l'chinq et l'quat'					
Je ne comprends pas qu'est-ce qu'il a dit					
Qu'est-ce qu'il y a comme monde					
Va-t-il se taire ?					
Est san pé tout récopi					
Je le trouve assez bellot					

8) Pensez-vous parler le cauchois ? (cochez la case qui correspond à votre réponse et ainsi de suite pour toutes les autres questions de cette étape)

Pas du tout ☐ ☐ ☐ ☐ ☐ ☐ *Très bien*

9) Qui parlent le plus en cauchois ?

Les femmes ☐ ☐ ☐ ☐ ☐ ☐ *les hommes*

10) Pensez-vous qu'on doive apprendre le cauchois aux jeunes ?

Non ☐ ☐ ☐ ☐ ☐ ☐ *oui*

11) Pensez-vous qu'on doit entendre davantage parler cauchois à la radio et sur les chaînes de télévision régionales ?

Non ☐ ☐ ☐ ☐ ☐ ☐ *oui*

12) Pensez-vous qu'on doit lire davantage de cauchois dans les journaux régionaux ?

Non ☐ ☐ ☐ ☐ ☐ ☐ *oui*

13) D'après vous, le cauchois est une sorte de

français ☐ ☐ ☐ ☐ ☐ ☐ *normand*

14) Pensez-vous que le cauchois est à préserver ?
Non ☐ ☐ ☐ ☐ ☐ ☐ *oui*

15) Pour une personne, savoir parler le cauchois sans savoir parler le français est ?

Gênant ☐ ☐ ☐ ☐ ☐ ☐ *avantageux*

16) Pour une personne, savoir parler le cauchois en sachant parler le français est ?

Gênant ☐ ☐ ☐ ☐ ☐ ☐ *avantageux*

17) Si vous souhaitez ajouter quelque chose, écrivez-le ici :

CHAPITRE 3

L'ACTION DE L'OFFICE DU JÈRRAIS : ENSEIGNEMENT ET NORMALISATION[1]
TCH'EST QU'J'ALLONS FAITHE DANS LA CLÂSSE?

Introduction

Depuis 1999 L'Office du Jèrriais est chargée d'établir des cours facultatifs de jersiais dans les écoles publiques (et privées) de Jersey. On a édité des méthodes d'apprentissage, des cahiers, CD-ROMs, et autres matériaux, et les élèves se sont intégrés dans la vie associative et culturelle des locuteurs. La présence du jersiais dans le programme scolaire a permis l'essor d'un processus de normalisation qui apparaît comme évidente depuis des décennies. Face aux défis de la promotion d'une langue minoritaire, comment développer le lexique pour les jeunes sans que les anciens ne se trouvent exclus du processus et exclus de leurs propres langue et pratique ? Quelles sont les perspectives pour un travail commun avec les autres langues normandes et d'oïl, et avec les autres langues régionales et moins utilisées des îles britanniques?

La situation de la langue et de l'Office

Actuellement, Jersey a une population de quelques 90 000 dont la moitié immigrée. Selon le recensement de 2001, il y a 2674 personnes qui parlent le jersiais[2]. On estime par contre qu'à peu près 15% de la population ont une compréhension effective de la langue. Mais, la langue voit une renaissance ou au moins une revalorisation chez nous à Jersey. Pour ma part, je suis employé comme « officier assistant » du Jèrriais à l'Office du Jèrriais au Département pour l'Éducation, le Sport et la

---

[1] Geraint Jennings, Office du Jèrriais (Royaume-Uni).
[2] Les locuteurs s'auto-déclarent tels.

Culture des États de Jersey. Depuis 1999, on est chargé d'assurer des leçons de Jèrriais dans les écoles primaires de l'île, et à la suite, dans les écoles secondaires et les adultes. Actuellement, il s'agit de deux cents enfants qui apprennent le jersiais comme matière facultative. Les cours sont offerts prioritairement dans les écoles publiques ; les écoles privées peuvent faire intervenir l'office du Jèrriais à titre gratuit mais ne sont pas obligées d'offrir le jersiais comme matière facultative à leurs étudiants. De fait, nous sommes trois employés à plein temps, avec quelques enseignants à temps partiel - plutôt des gens en retraite qui font un cours ou quelques cours par semaine.

Bien que nous travaillions dans le Département pour l'Éducation, le Sport et la Culture nous ne sommes pas des fonctionnaires. L'Office du Jèrriais est en quelque sorte un partenariat entre les États de Jersey et *Le Don Balleine*, trust fondé il y a une cinquantaine d'années selon le testament de Monsieur Arthur Balleine qui avait légué sa fortune pour la promotion de la langue jersiaise. L'Office est payée et hébergée par les États, mais nous sommes employés par le trust. Cette organisation donne une assez large liberté d'action, sans être vraiment intégrée dans le système scolaire. Mais actuellement nous ressentons une pression pour l'intégration et la normalisation. Cette situation a bien sûr ses avantages et ses inconvénients.

L'enseignement de la langue : la mutualisation des expériences de langues minoritaires

L'enseignement de la langue : les matériaux mannois

Les États de Jersey, Parlement de Jersey, ont été convaincus de la valeur de lancer un programme d'enseignement à la suite du succès du programme dans l'Île de Man –une île britannique autonome qui a sauvé sa propre langue celtique apparentée avec l'irlandais et l'écossais. L'office de la langue mannoise nous a offert sa méthode d'apprentissage pour l'adapter au jersiais.

Nous avons fondé les Cahiers[3] relatifs aux deux premières années d'enseignement sur les matériaux mannois. Cela a été très utile, mais en se servant de ces matériaux adaptés à une situation donnée, nous avons rencontré quelques inconvénients.

D'abord, la grammaire du mannois, langue celtique, n'est pas évidemment comparable avec le jersiais, et les caractéristiques grammaticales ne semblaient pas assimilables de façon très logique. Ce fut difficile de passer d'une page à la suivante sans sauter en avant et reculer sans cesse : la progression pédagogique étant en effet fondée sur des a-priori de fonctionnement grammatical qui différaient d'une langue à l'autre.

Ensuite, pour l'introduction du jersiais les autorités avaient prévu au début des cours de langue orale, de la conversation, des chansons, des jeux. Rien de vraiment académique – on ne prévoyait pas au début une matière scolaire – mais plutôt de ludique, de culturel. Sans doute, pour beaucoup d'entre les membres des États qui ont approuvé l'introduction du jersiais dans les écoles en répondant à la demande des parents, il s'agissait d'un geste purement politique et on ne s'attendait pas à l'époque à une réussite, voire à sa mise en oeuvre. Voilà sans doute l'une des motivations pour le partenariat avec *Le Don Balleine* : en cas d'échec, cela aurait été bien plus simple de fermer le programme puisqu'on n'y employait pas de fonctionnaires. Mais une fois dans le système scolaire, les parents ont fait pression pour accentuer l'apprentissage de l'usage de la langue écrite et de la lecture, et surtout pour mettre en place une évaluation, et éventuellement un examen. En effet nos homologues mannois nous l'avaient dit : tout se développera bien plus vite que prévu ! Et cela fut juste et le demeure : nous avions prévu plusieurs cycles en école primaire avant d'avancer dans les écoles secondaires, mais la demande fut forte de la part des parents qui ont souhaité pouvoir faire poursuivre à leurs enfants un enseignement de la langue en primaire puis en secondaire.

---

[3] Les manuels d'apprentissage de la langue (NDE).

Troisièmement : nous avons remarqué que, bien que nos matériaux adaptés soient en jersiais, pour l'enseignement du jersiais, ils n'étaient vraiment pas très jersiais en ce qui concerne l'actualité, les traditions, la géographie, les structures sociales de Jersey. De plus, en adaptant au début les matériaux mannois, nous en avions retiré toute la spécificité au sujet de l'Île de Man.

L'enseignement de la langue : les matériaux jerriais

Ayant fait l'expérience des matériaux importés dans les écoles, nous avons alors décidé de développer nos propres matériaux plutôt organisés pour la mise en place d'un éventuel examen des connaissances voire des compétences. Nous avons identifié des thèmes : le folklore de Jersey, l'environnement de Jersey, la géographie de Jersey et Jersey dans le monde, la culture de Jersey, la vie moderne et informatique (par exemple, nous avons repris le langage des messages SMS en jersiais élaboré par nos étudiants dans les matériaux pédagogiques[4].

Nous avons eu l'idée aussi que nos matériaux jersiais pouvaient servir dans d'autres matières au-delà des cours de la langue : histoire, géographie, musique, environnement. À partir de cette année[5], le jersiais est intégré dans le programme de citoyenneté, c'est-à-dire que tout élève dans le système scolaire de Jersey doit comprendre que le jersiais est un symbole de Jersey et l'une des valeurs communes du citoyen, même si l'élève n'assiste pas aux cours du jersiais ni a du jersiais dans la famille. Il est à remarquer que ce sont les enfants de famille lusophone qui sont parmi les plus doués en jersiais dans nos cours et dans les concours comme l'Eisteddfod de Jersey. Nous proposons consciemment des exemples de lexique dans nos matériaux qui offrent à certains élèves la possibilité de retrouver des ressemblances entre le jersiais et le portugais - paîsson peis, c'mîn caminho, trais tres...

---

[4] Et nous utilisons nous-mêmes dans des e-mails de ces abréviations AB, ATT, NN, ACC, MBDF... oui, c'est possible d'être cool en jersiais !

[5] 2008 (NDE).

Ayant donc ré-orienté les matériaux des troisième et quatrième années, nous sommes revenus sur les deux premiers Cahiers en les remplaçant par une présentation plus logique et avec plus de pratique de la langue écrite.

Pour notre part, nous avons emprunté aux Mannois, et en retour, ayant vu ce que nous avons réalisé à Jersey, ils nous ont emprunté nos méthodes. L'échange a ainsi bénéficié aux deux parties. Avec les contacts par le Conseil Britannique-Irlandais nous avons également pu bénéficier du travail effectué au Pays de Galles, en Irlande et en Écosse. Nous avons offert nos matériaux aux Guernesiais et aux Normands de la Grand' Terre (et même aux gallophones du Pays Gallo) s'ils souhaitent les adapter, les utiliser.

Les missions de l'Office : éditions, ressources et mission

Une ligne éditoriale

Le travail de l'Office du Jèrriais a évolué. Nous avons résisté dès le début assumer une étiquette comme « Bureau de l'enseignement de la langue jersiaise » prévoyant la possibilité d'action en dehors des écoles. Et cela est bien vite arrivé. Le titre *L'Office du Jèrriais* a été reçu par la société civile sans problème, et a donné une identité à l'action de l'agence. Il est intéressant d'entendre parler en langue anglaise de *L'Office*. Pour les associations de la langue, cela a été très utile d'avoir une représentation professionnelle capable de répondre aux questions du public et de chercheurs universitaires. Pour les départements des États et les médias, savoir qu'il y a un lieu auquel téléphoner ou envoyer un e-mail pendant la journée de travail, est un service utile.

Pour les éditions en jersiais, *Le Don Balleine* en travaillant avec le Département pour l'Éducation, le Sport et la Culture a retrouvé, dans L'Office du Jèrriais, des salariés. Cela a aidé la production de livres, mais a changé le style et l'image. Si les États ont fourni un budget pour la production de matériaux pour les écoles, l'office du Jèrriais a réalisé pour sa part les avantages de la co-édition. Si une édition proposée par *Don Balleine* ou par la Société Jersiaise peut être utile dans les cours, on accepte de subventionner l'édition, pourvu que le format soit intéressant et attrayant pour les jeunes. Nous avons donc insisté pour qu'on change l'habitude d'une présentation très sérieuse, sans illustrations et finalement triste et ennuyeuse. Les éditions faites avec la participation de L'Office du Jèrriais sont donc très colorées et vivaces et, même si cela ne plaît pas à tout le monde dans notre communauté, on y concilie le sérieux du contenu avec le plaisir d'une présentation attrayante.

Nous avons répondu à des demandes, souvent en collaboration avec La Société Jersiaise. L'une des questions les plus fréquentes est celle de la signification de noms de maison. Nous avons donc produit un livret.

Un Jersiais de poche.

On nous a reproché l'existence de méthodes de langue pour les enfants à l'école sans que rien ne soit fait pour ceux d'entre qui n'étaient pas encore scolarisés. Afin que les familles puissent initier leurs enfants à la langue à la maison, on a édité un livre de comptines, jeux et lexique enfantin *Lé Jèrriais pouor les pathents et grands-pathents*. Ainsi, La Société Jersiaise a édité *Les Preunmié Mille Mots*, sachant qu'il est impossible de continuer d'avancer dans les écoles sans dictionnaire convenable pour les apprenants.

L'écriture et le dictionnaire de langue

Un dictionnaire de référence

La question de l'écriture du jersiais est assez intéressante. Le jersiais a une orthographe officielle. Il y a des mots qui ont été discutés en élaborant les matériaux d'enseignement, mais en principe le système d'écriture est décidé depuis plusieurs décennies. En 1966 les États de Jersey ont soutenu la publication du grand *Dictionnaire Jersiais-Français* [6] . Le

---

[6] Même avant cela, les principes de l'orthographe ont été plus ou moins établis selon les arguments du poète Messire Robert Pipon Marett, qui est devenu Bailli de Jersey, au 19ième siècle.

Vocabulaire Anglais-Jersiais de 1972 a repris en partie le contenu du grand Dictionnaire, mais on manquait alors de Dictionnaire jersiais-anglais. La Société Jersiaise a travaillé depuis des années pour transformer le vocabulaire anglais-jersiais en jersiais-anglais. L'Office du Jèrriais a mis à disposition ses ressources informatiques et a proposé ses services pour une co-production dès lors que le nouveau dictionnaire sera modernisé et complété. *Le Dictionnaithe Jèrriais-Angliais* a été publié par La Société Jersiaise, avec la participation de L'Office du Jèrriais, en 2005, et à la suite L'Office du Jèrriais a retransformé ce dictionnaire modernisé en anglais-jersiais. Le *dictionnaithe Angliais-Jèrriais* a été lancé au mois de mai 2008.

Bien sûr, cela a été critiqué.

D'un côté, on nous a reproché d'avoir *inventé des mots*. On invente des mots dans toutes les langues, le jersiais est une langue vivante, pas simplement un musée. Mais rien n'a été inventé exprès pour le dictionnaire. Dès que l'on a remarqué un mot inventé en usage à l'écrite, dans les médias ou dans la langue parlée, nous l'avons noté et fait évaluer passé par les experts avant de l'inclure dans la base de données. Bien sûr, nous avons inventé des mots jersiais pour le programme d'enseignement, mais ces mots avaient été jugés selon les mêmes principes que les autres. Un avantage aussi d'avoir numérisé tant de vieux textes jersiais et de les avoir publiés sur Internet, est que nous avons pu, en bien des cas, retrouver un mot « inventé » ou un usage « douteux » dans des textes des auteurs les plus respectés. Nous avons ainsi pu récupérer des vieux mots qui ne sont pas répertoriés dans le grand Dictionnaire.

D'un autre côté, on nous a reproché de n'avoir pas inventé des mots. Bien sûr, nous avons suivi des principes grammaticaux reconnus dans le travail lexicographique : si se trouve un adjectif, on forme régulièrement l'adverbe ou inversement ; si se trouve un verbe simple, on forme régulièrement l'itératif, et ainsi de suite...

Pour l'instant l'introduction de nouveaux mots reste en partie aléatoire et fixée sur les usages linguistiques et les demandes sociales. Mais, engagé par la ratification de la Charte européenne des langues minoritaires et régionales, le gouvernement a accordé à l'Office du Jèrriais la charge de proposer ou de décider des néologismes pour l'utilisation officielle. Et cela, en accord avec les représentants des associations.

Le choix des mots et leur validation

Dans l'Office du Jèrriais, nous avons fait circuler nos matériaux afin que les experts puissent proposer leurs commentaires et suggestions. Mais nous rencontrons un problème récurrent : les experts sont logiquement des personnes plutôt âgées qui ne comprennent pas la technologie moderne ni les usages sociaux préférés des jeunes (et de fait ils ont des difficultés pour les néologismes liés à ces usages). Nous avons cependant privilégié des vieux mots dans les écoles. Par exemple, si la plupart des locuteurs disent *huile* et *quatré-vîngts*, les mots français ayant remplacé les mots jersiais, on propose *hielle* et *huiptante* dans les matériaux d'apprentissage. Cela semble plus jersiais ainsi, et, en tout cas comme les enfants apprendront *huile* et *quatre-vingts* dans les cours de français, ils auront le choix.

Pour ne pas conclure : l'influence de l'anglais

Il reste bien sûr des questions plus difficiles : prenons par exemple *lé compiuteu*. La majorité dit *lé compiuteu*, une minorité préfère *l'ordinnateu* - et il n'y a pas d'accord entre les deux partis. Mais cela évoque encore une question. Dans les langues normandes des Îles de la Manche c'est évident que beaucoup de mots sont empruntés à l'anglais, mais par contre dans la grand' tèrre, on emprunte évidemment au français. Et cela depuis des siècles. En Jèrriais il y a beaucoup de mots domestiques empruntés à l'anglais à l'époque où les grandes familles anglophones de la ville employaient des domestiques qui parlaient le Jèrriais. Ce contact avec le vocabulaire du travail domestique à l'anglaise, ainsi que le lexique du monde moderne, a enrichi le Jèrriais.

Voici quelques exemples :

ticl'ye	bouilloire, qui vient de l'anglais *tea-kettle*
ouachinner	laver en frottant dur, qui vient de l'anglais *washing*
scrober	frotter à la brosse, qui vient de l'anglais *scrub*
scrobinne-broche	brosse de chiendent, qui vient de l'anglais *scrubbing brush*
bliatchinner	cirer des souliers, qui vient de l'anglais *blacking*
pôqueur	tisonnier, qui vient de l'anglais *poker*
côssée d'audgo	podcasting, baladodiffusion - il s'agit d'une calque de l'anglais *pod* (cosse)
mèrcat	suricate - il s'agit d'une ré-interprétation ludique du mot *meerkat* comme si c'était un cat (chat) qui guette les mèrs (repères)
dêpliodgi	débrancher, qui vient de l'anglais *plug*
settler	régler/installer, qui vient de l'anglais *settle*
subsidé	subvention, qui vient de l'anglais *subsidy*

Tableau 2. Les contacts jerriais / anglais

Bibliographie

BIRT, P., 1985, *Lé Jèrriais Pour Tous. A Complete Course on the Jersey Language*, Don Balleine, Jersey.

CARRÉ, A. L., 1972, *English-Jersey Language Vocabulary*, Don Balleine, Jersey.

DON BALLEINE, 2003, *Un livret d'phrâses en Jèrriais*, Don Balleine, Jersey.

DON BALLEINE, 2005, *Lé Jèrriais pouor les pathents et grands-pathents*, Don Balleine, Jersey.

DON BALLEINE, 2008, *Dictionnaithe Angliais-Jèrriais*, Don Balleine, Jersey.

LE MAISTRE F., 1966, *Dictionnaire Jersiais-Français*, Don Balleine, Jersey.

Recensement de Jersey, 2001, http://www.gov.je/statistics/ census.asp

SCOTT WARREN, T., 2000, *Lé Neu C'mîn 1*, Don Balleine, Jersey.

SCOTT WARREN, T., 2001, *Lé Neu C'mîn 2*, Don Balleine, Jersey.

SCOTT WARREN, T., JENNINGS, G., 2002, *Lé Neu C'mîn 3*, Don Balleine, Jersey.

SCOTT WARREN, T., JENNINGS, G., ET AL. 2003, *Lé Neu C'mîn 4*, Don Balleine, Jersey.

SCOTT WARREN, T., JENNINGS, G., IRESON, C. ET AL, 2004, *La P'tite Sente 1*, Don Balleine, Jersey.

SCOTT WARREN, T., JENNINGS, G., IRESON, C. ET AL, 2005, *La P'tite Sente 2*, Don Balleine, Jersey.

SOCIÉTÉ JERSIAISE, 2000, *Les Preunmié Mille Mots*, Société Jersiaise, Jersey

SOCIÉTÉ JERSIAISE, 2003, *Noms d'Maîson en Jèrriais*, Société Jersiaise, Jersey

SOCIÉTÉ JERSIAISE, 2005, *Dictionnaithe Jèrriais-Angliais*, Société Jersiaise, Jersey

SOCIÉTÉ JERSIAISE, 2007, *Eune Collection Jèrriaise*, Société Jersiaise, Jersey

CHAPITRE 4

UN APERÇU DE LA SITUATION DU NORMAND À GUERNESEY [1]

Introduction

On peut définir le *dgernésiais*, la langue indigène de l'île anglo-normande de Guernesey, comme une variété de Normand vu qu'il satisfait aux critères que le dialectologue Charles Joret a identifiés dans sa grande œuvre « *Des caractères et de l'extension du patois normand* » de 1883. On peut supposer que l'on parle une variété de normand à Guernesey depuis mille ans, mais sans mesures drastiques et urgentes cette situation va en toute probabilité cesser d'ici quelques décennies. Selon le dernier recensement qui a eu lieu en 2001 sur une population de 60000 habitants, 1327 individus prétendent savoir parler le *dgernésiais*, soit 2% de la population. Nous n'avons aucun chiffre plus récent, mais vu que la majorité des habitants qui se sont déclarés normanophones il y a 7 ans étaient des personnes âgées, on peut imaginer que le chiffre a baissé depuis.

Bref Historique

Ce n'est pas avant le 19ième siècle que l'on a considéré que le normand de Guernesey était menacé et que l'on a vraiment ressenti l'influence anglaise. Ce n'est pas surprenant que cela soit pendant ce siècle que l'on a vu paraître de nombreuses œuvres de poésie et la publication du Dictionnaire Franco-Normand de Georges Métivier. Ce dernier, considéré comme poète national de Guernesey, a inspiré d'autres auteurs à produire des œuvres dans leur propre variété de normand.

---

[1] Yan Marquis, Officier pour l'dgernésiais, États de Guernesey, Culture & Leisure Department (Royaume-Uni).

Pendant le 20ième siècle, la langue anglaise a gagné du terrain sur ce qui était jusqu'à cette période celui du guernesiais et du français [2]. Le linguiste Sjögren qui a effectué des visites d'études dans les années 1920 a constaté que le *dgernésiais* commençait à être menacé dans certaines paroisses[3] du nord de l'île et que, « le nombre de jeunes qui parlaient couramment le guernesiais était restreint. » La situation était complètement différente dans les paroisses plus éloignées des centres urbains dans le centre-ouest et le sud-ouest, « Là, le guernesiais avait conservé sa primauté et était resté profondément vivant parmi la population entière. » En 1926, Les États[4] ont adopté l'anglais comme langue officielle, mais non sans opposition. Cette adoption n'a fait que reconnaître officiellement la situation linguistique de l'île qui était en voie d'évolution, cette reconnaissance a également contribué de façon indirecte au déclin du *dgernésiais*. Cependant, on cite comme étant l'événement le plus important quant au déclin du *dgernésiais*, l'évacuation de presque tous les enfants de Guernesey vers l'Angleterre avant le début de l'occupation allemande des Iles Anglo-normandes. Un nombre non négligeable de ces enfants ne parlaient pas l'anglais, ce pays leur a semblé comme pays étranger. En revanche ces enfants rentrés après les cinq années qu'a duré l'occupation avaient appris la langue et le mode de vie anglais et on imagine que leur pays natal à leur retour a semblé très étranger. L'éducation obligatoire en anglais, l'évacuation des enfants, l'arrivée des médias de masse anglais, la chute des industries traditionnelles, la croissance de l'industrie bancaire et son conséquent afflux de salariés anglophones et, finalement, un dernier facteur très important, la stigmatisation sociale des locuteurs normanophones ont agi sur la situation linguistique de l'île et ont contribué à la précarité actuelle du normand. Puis, si l'on

---

[2] Jusqu'à cette période il existait une diglossie entre le français et le guernesiais qui était la langue inférieure de cette relation.

[3] Une paroisse est un district administratif qui équivaut plus ou moins à la commune française

[4] Le parlement insulaire.

considère l'âge avancé des personnes qui parlent le *dgernésiais* couramment [5] et l'absence d'une transmission inter-générationnelle l'avenir du *dgernésiais* est loin d'être assuré.

La situation actuelle

Au début janvier 2008 j'ai commencé à travailler dans la fonction *d'officier pour l' dgernésiais*. Ce poste de création très récente démontre une volonté des États de Guernesey de valoriser et souligner l'importance culturelle du normand de Guernesey et le rôle qu'il joue quant à l'identité guernesiaise. On attribue cette volonté à plusieurs facteurs ; d'abord à une décision des États de Guernesey qui en 2007 ont voté un « Projet de gouvernement pour le commerce » (Government business plan) qui souligne parmi ses nombreuses priorités la nécessité de valoriser l'identité indépendante guernesiaise et sa propre culture, d'où la valorisation du *dgernésiais ;* ensuite il faut souligner qu'il existe depuis quelques années une grande volonté populaire qui veut que le *dgernésiais* soit sauvegardé et qu'il soit transmis aux futures générations. La spécificité guernesiaise est qu'il ne s'agit pas de la question du statut indépendant et autonome de Guernesey et que l'on ne peut pas parler d'un nationalisme naissant guernesiais ni d'appel à une langue « nationale » pour exprimer des sentiments indépendantistes et éventuellement nationalistes. Cependant, beaucoup d'îliens, qui jusqu'à présent ont exprimé leur identité et leur culture en anglais, semblent, face à l'érosion de cette identité et de cette culture traditionnelle, avoir pris conscience du fait que toute cette richesse risque de disparaître. Par conséquent, un nombre important de personnes veulent s'identifier au *dgernésiais* et faire sa défense et sa promotion. Pourtant ceci ne se fait pas dans un esprit d'exclusion, mais au contraire, toutes tentatives de faire valoir le normand insulaire se font dans un esprit d'inclusion[6]. Enfin ce qui importe pour

---

[5] La grande majorité des normanophones de Guernesey a plus de 70 ans.

[6] On pense d'abord aux liens qui existent entre l'île et le reste du domaine normanophone et au-delà dans d'autres communautés qui

Guernesey c'est que pour la première fois dans son histoire il y existe une stratégie linguistique explicite qui souligne certaines priorités et qui dénombre les actions à entreprendre, en d'autres termes les débuts d'un programme de « revitalisation » de langue.

En gros le rôle *d'officier pour l'dgernésiais* est de soutenir tous les efforts qui visent la promotion et l'enseignement de la langue et l'exploration des moyens pour accroître ses fonctions – l'élaboration et la normalisation. Le rôle vise également et nécessairement l'évaluation des ressources linguistiques, la recherche et l'élément que l'on considère le plus urgent, l'enregistrement des locuteurs. Ces trois éléments constituent des domaines-clés quant à la « revitalisation » du *dgernésiais* et de son passage de langage sous-développé à une langue développée qui connaîtra une codification formelle et une élaboration fonctionnelle car bien que l'on parle *du dgernésiais*, cette désignation cache une grande diversité linguistique. Les enjeux sont élevés, mais le défi que l'on doit nécessairement relever est de puiser dans celle-ci et d'aboutir à une ou des formes de langue qui seront représentatives et acceptables pour transmettre aux futures générations.

L'évaluation et la documentation

L'évaluation et la documentation des ressources (Références écrites audiovisuelles sur et dans le *dgernésiais*) constituent un projet qui est d'autant plus nécessaire étant donné qu'en effet personne n'est dans la mesure de dire ce qui existe exactement dans les collections publiques et privées et si l'on recherche telle ou telle référence ce n'est pas toujours évident de savoir où la trouver. Un autre projet essentiel est l'enregistrement

---

font la défense et la promotion de leurs langues minoritaires. De plus le *dgernésiais* appartient à tous les habitants de l'île, qu'importe leurs origines ethniques, ils ont tous le droit à l'accès et à l'apprentissage de la langue. Enfin quelque chose que l'on néglige souvent, le phénomène de « langage de pont », qui offre dans le cas du *dgernésiais* des avantages quant à la compréhension et l'apprentissage des autres langues romanes.

numérique d'énoncés et de conversations en *dgernésiais* authentique. Nous avons commencé à redresser cette situation en regroupant toutes les ressources au même endroit et à les documenter afin de faciliter la recherche. L'intention est d'engager le public en faisant un appel pour des contributions matérielles pour enrichir les archives. Ensuite on envisage la création d'un corpus numérique de données linguistiques qui va permettre la construction d'une image complète de la langue. Ceci importe car certains linguistes considèrent que l'on ne peut pas compter uniquement sur les intuitions des locuteurs, beaucoup d'entre eux avouent avoir des lacunes importantes dans leurs compétences langagières. Ces deux projets constituent une tâche énorme et c'est donc bien notre intention de solliciter la collaboration de partenaires universitaires afin de la réaliser.

La transmission de langue

Comme mentionné ci-dessous la transmission inter-générationnelle du *dgernésiais* n'existe plus ; on doit donc trouver d'autres moyens pour le transmettre. Il semble logique que l'on fasse entrer le *dgernésiais* dans le système éducatif, mais certains locuteurs craignent l'institutionnalisation qui s'ensuivra. En effet depuis quatre ans il existe une initiative d'enseignement facultatif du *dgernésiais*[7] dans quelques-unes des écoles primaires. Cependant, il ne s'agit que de cours de base sans cursus progressif en plus ces cours qui sont assurés par des volontaires enthousiastes ne font pas partie intégrale du programme éducatif normal. Il est clair qu'il existe un rôle majeur à jouer pour le système éducatif insulaire vu qu'il représente un des moyens les plus fondamentaux pour transmettre le *dgernésiais* aux futures générations d'insulaires. Il faut souligner le côté symbolique de cette initiative car certains acteurs ont remarqué qu'elle légitime le *Dgernésiais* parce que sa présence dans la salle de classe y apporte un

---

[7] Quelque 80 élèves reçoivent une demi-heure d'instruction chaque semaine ; ces cours sont organisés par des volontaires.

certain prestige. En plus rappelons que l'éducation obligatoire en anglais a contribué au déclin du normand dans l'île et donc pour certains militants, il est tout à fait raisonnable que les autorités chargées de l'éducation agissent en sorte de redresser cette situation et ils veulent qu'elles participent pleinement au programme de « revitalisation ». La tâche pour l'avenir c'est de développer l'initiative existante et d'introduire la langue dans le programme éducatif normal. Il est probable qu'au début nous insisterons pour qu'elle entre comme sujet obligatoire dans l'enseignement de la culture locale et puis d'ici quelques années pour qu'elle y entre en option. Cependant, nous sommes conscients que l'apprentissage seul ne suffit pas, il faut que le *dgernésiais* soit réintroduit au sein de la famille. Un moyen pour faciliter ceci pourrait être de proposer des cours pour des parents qui iraient de pair avec ceux des petits apprenants. Il faut également entreprendre des initiatives pour encourager les locuteurs à parler le *dgernésiais* dans leurs foyers. Ceci relève la question du *dgernésiais* dans l'éducation adulte qui à présent ne constitue qu'un cours de base sans progression vers d'autres niveaux. Nous devons nécessairement développer un programme pour adulte.

Les questions de la codification et du développement du dgernésiais

Il reste beaucoup à faire quant à l'éducation vu le manque de supports pédagogiques la publication desquels présupposent des discussions sur la forme linguistique. Celle-ci est un élément fondamental qui jusqu'à maintenant n'a pas été abordé. Ces discussions sont d'autant plus pertinentes que quelques-uns des « enseignants » expriment de l'incertitude à l'égard du langage qu'ils transmettent. Ce problème soulève la question du développement d'une « langue » qui servira ses locuteurs dans le monde d'aujourd'hui? Cette question remonte à son tour au « corpus » de données linguistiques car une fois que le « corpus » est suffisamment chargé, on pourrait passer à l'analyse, puis à la codification linguistique qui à son terme aboutirait à l'élaboration d'une grammaire descriptive et enfin à la mise à jour des glossaires et des dictionnaires. Une telle mis à jour présuppose des discussions sur le lexique et en particulier la néologie. Actuellement si une lacune lexicale se présente, on dit : « *y a pas d'mot pour chéna !* » Mais on doit en toute réalité dire : « *y a pas **acouore** aen mot pour chéna !* » (Ce qui n'est pas toujours le cas !). On a tendance à puiser dans la langue devenue dominante, l'anglais et pourquoi pas ? Il existe plusieurs exemples de mots anglais qui sont bien intégrés dans le *dgernésiais* : « stonaï » de l'anglais, *to stand* – supporter, « caontèrsìntcher » de l'anglais, *to countersink* – fraiser *en langue technique* et « baïce » de l'anglais, *bicycle* – vélo. Pour certains locuteurs emprunter à l'anglais est tout à fait acceptable, pourtant d'autres considèrent que sa continuation va trop « diluer » la langue et ils tiennent à l'opinion qu'il vaudrait mieux regarder vers le domaine normanophone aux autres variétés du normand ou même vers le français, langue apparentée pour ses néologismes. D'autres encore prônent la rénovation ou l'innovation. Il faut accepter que la langue change nécessairement car on est obligé de l'adapter afin qu'elle soit en rapport avec le monde de ceux qui l'apprennent. On imagine, comme c'est souvent le cas dans d'autres programmes de « revitalisation » de langue, qu'il y aura des vielles personnes qui se plaindront du fait que les jeunes ne parlent pas la même langue qu'elles, mais des évolutions linguistiques sont inévitables si le programme de « revitalisation » du *dgernésiais* réussit.

Variété *versus* standardisation

Il est peut-être propice à ce point de parler de la variation linguistique importante du normand de cette petite île de Guernesey. Nous remarquons d'abord que le normand du nord de l'île contraste de façon importante avec celui du sud-ouest, puis nous ajoutons que la situation est d'autant plus complexe qu'il y a continuum de diversité entre ces deux extrémités. Pourtant il est à remarquer que cette diversité ne présente aucun obstacle quant à la communication. Les locuteurs sont conscients des différences, mais ils tolèrent et acceptent cette situation comme normale.

Cette diversité linguistique présente des problèmes complexes pour les promoteurs de la langue et elle évoque nécessairement la question des normes et de la pluralité. Il me semble donc naturel que toute décision sur la forme et la fonction, autrement dit « la codification » et « l'élaboration » de la langue nécessite la formation d'un groupe de réflexion composé de membres de la communauté linguistique, des personnes qui tiennent des positions-clés dans l'administration de l'île qui pourraient faciliter l'introduction et l'usage de la langue dans la société, des partenaires universitaires et des pédagogues. Un tel groupe serait chargé de discuter et de conseiller sur tous les aspects de la langue. En effet, l'idéal serait d'enseigner la « pluralité » en élaborant des supports qui reproduisent fidèlement toutes les variations dialectales, même sous-dialectales, et d'enseigner le langage qui corresponde à l'aire linguistique où est située l'école. Pourtant cette approche, bien que désirable, semble utopique et non réalisable vu la diversité dialectale qui se maintient et d'une certaine façon s'intensifie du fait que le *dgernésiais* est devenu une langue que l'on parle rarement hors de la famille ou des réunions entre proches. Cependant, il existe d'autres manières d'aborder ce problème, nous pourrions élaborer des supports pédagogiques basés sur un des dialectes, mais ceci n'est pas facile étant donné le continuum dialectal existant et même si nous aboutissions à une distinction nette des dialectes, comment choisirions-nous un (ou même deux ou trois) dialecte(s) parmi tous les autres ? Nous pourrions par exemple choisir celui qui est le plus répandu, mais ce choix lui apporterait sans doute du prestige et risquerait la relégation des autres dialectes à une position d'infériorité et encore pire le rejet et l'exclusion des locuteurs des dialectes non privilégiés. Or, si on décide de suivre cette dernière option nous pourrions le faire tout en célébrant la pluralité comme une richesse importante. Ensuite, une autre solution serait de créer une langue qui serait un amalgame des éléments de toutes les variétés, mais l'inconvénient de cette approche est qu'elle risquerait le rejet de la plupart de la communauté linguistique !

Quelle(s) orthographe(s) ?

Un autre aspect qui concerne l'avenir du *dgernésiais* est la question de l'orthographe. Même si on écrit le *dgernésiais* depuis la première moitié du 19ième siècle aucune orthographe n'est devenue « standard », chacun écrit à « s'n idaie ». Les systèmes d'orthographe existants sont basés largement sur ceux des écrivains du 19ième et de la première partie du 20ième siècle ; de fait, si ces écrivains guernesiais ne savaient pas parler et écrire le français, ils en avaient une bonne connaissance. Ils ont naturellement adopté des systèmes très influencés par cette langue. La publication du « Dictiounnaire Angllais - Guernésiais » en 1967 et ses éditions suivantes n'ont pas mis fin à cette question car bien que très important, ce recueil contient un certain nombre de divergences orthographique et même si beaucoup d'écrivains des 20ième et 21ième siècles prétendent s'en servir, l'évidence suggère le contraire. Les opinions sur ce sujet sont diverses, certains acteurs pensent qu'il n'est pas nécessaire d'écrire le *dgernésiais,* d'autres semblent prôner la polynomie du *dgernésiais,* et donc ils veulent maintenir la liberté d'expression dans ce domaine. Pourtant, s'il y existe une notion d'acceptabilité, certains acteurs estiment que toute divergence est inacceptable et qu'elle constitue une faute d'orthographe et ils diront souvent : « *nou n'l'écrit pas come chéna !* D'autres acteurs tiennent à l'opinion qu'il est nécessaire d'avoir une norme. Il me semble que l'on doit considérer la création d'une seule orthographe pour utiliser dans l'éducation qui représenterait plus fidèlement la phonologie du *dgernésiais* que font les systèmes existants. La situation linguistique de Guernesey a changé énormément depuis le 19ième siècle, quand on savait parler et écrire le français. Maintenant, la grande majorité des habitants de l'île est monolingue et ne parle que l'anglais ; donc tout élève désirant lire le *dgernésiais* devra apprendre les conventions orthographiques françaises avant d'aborder la lecture, ce qui pourrait entraver son apprentissage. Pourtant, maintenir le statu quo pourrait apporter ses avantages : l'accès aux textes écrits à Guernesey et dans le reste du domaine normanophone et l'accès à la langue française. Cependant, il y a des acteurs qui pensent que l'on doit se distinguer nettement du français et écrire soit d'une façon qui représente plus fidèlement la prononciation soit à partir d'un système inspiré par l'anglais afin de faciliter l'acquisition par ceux qui n'ont aucune connaissance des conventions orthographiques françaises et qui parlent l'anglais comme langue maternelle. Il est à remarquer que l'acquisition du *Dgernésiais* sera d'autant plus difficile que le normand appartient à une famille différente de leur langue maternelle d'où ce défi : on doit enseigner la langue indigène de Guernesey en tant que langue tout à fait étrangère !

La question de la fonction du dgernésiais ?

J'ai déjà évoqué la fonction de la langue en parlant de la réintroduire dans les foyers familiaux. Il est également important d'encourager les apprenants à s'exprimer dans la langue pour qu'elle devienne leur langue « normale ». L'usage est un aspect majeur et il importe de créer des occasions de la pratiquer et de la rendre utile dans la vie quotidienne. Il ne sert à rien d'avoir des compétences langagières, s'il n'y a aucune raison de s'en servir.

Il est peut-être nécessaire d'évoquer le rôle des États dans la question de la fonction, c'est à dire de la reconnaissance officielle et des droits de l'individu relatifs au *dgernésiais*. Les États en créant le poste « d'*Officier pour l'dgernésiais* » ont reconnu existence de la langue indigène, pourtant il me semble que son adoption comme langue officielle en ce début de programme de « revitalisation » serait néfaste vu le coût potentiel de son institutionnalisation. Il vaudrait mieux revendiquer que le *Dgernésiais* soit reconnu comme langue officielle de l'identité et de la culture guernesiaises.

Finalement un aspect que l'on doit considérer c'est comment rendre une langue quasi « invisible », visible? Ceci touche à la «normalisation » du *dgernésiais* – comment rendre normales sa présence et son utilisation dans les lieux publics ? L'introduction d'une signalétique en *dgernésiais* est possible et elle serait efficace, mais on peut discuter ceci en constatant que quelques panneaux ne réanimeront jamais une langue qui est menacée d'extinction. Pourtant, la symbolique et le visuel jouent des rôles importants dans un programme de « revitalisation » de langue en rendant conscients ceux qui l'ignorent de l'existence de langue minoritaire. Un autre moyen de rendre la langue plus visible est d'engager les médias d'avantage. Certains acteurs pensent qu'il y une responsabilité dans le déclin de la langue de la part des médias car ils ont fait entrer l'anglais jusque dans la famille. Et qu'ils doivent maintenant contribuer à redresser la situation. Enfin, on doit considérer la présence du *dgernésiais* sur la toile et les opportunités qu'elle présente étant donné l'importance de ce phénomène dans l'éducation et sa place comme divertissement en famille.

Conclusion

Dans ce petit aperçu j'ai essayé de vous informer de la situation du normand à Guernesey. J'ai souligné ce que l'on considère comme les choses les plus pertinentes de sa situation historique et contemporaine. Tout comme en Normandie continentale, sans mesures drastiques l'avenir du normand de Guernesey est loin d'être assuré, cependant, notre gouvernement a réagi en faveur de la langue et il y a une volonté populaire à faire revivre le *dgernésiais*, une volonté qui n'existait pas il y a 10 ans. Néanmoins les enjeux sont élevés et il reste un travail énorme à faire.

Bibliographie

COOPER R. L., 1989, *Language planning and social change,* Cambridge University Press, Cambridge.

DE GARIS M. (ed.), 1967, revised 1982, *Dictiounnaire angllais-guernesiais*, Chichester, Phillimore.

JONES, M. C., 2000, *The subjunctive in Guernsey Norman French*, dans JOURNAL OF FRENCH LANGUAGE STUDIES **10**. 73-99.

LENORE A. GRENOBLE & LINDSAY J. WHALEY., 2005, *Saving languages : An Introduction to Language Revitalization*, Cambridge.

LUKIS, E. F., 1981 (revised 1985), *An outline of the Franco-Norman dialect of Guernsey*, Guernsey, Lukis.

MAUVOISIN, J. 1979, Principes essentiels d'orthographe normand, dans *Parlers et Traditions Populaires de Normandie* 45 (reprinted on www.multimania.com/bulot/cauchois/ Principe.html)

MÉTIVIER, G. 1870, *Dictionnaire franco-normand*, Guernsey, Thomas-Mauger Bichard.

SALLABANK J. 2002, «Writing in a unwrtten language : the case for Guernsey French » dans READING, WORKING PAPERS IN LINGUISTICS 6, 217-244.

SALLABANK J. 2007, *Position Paper, The Future of Guernsey French.*

SJÖGREN, A., 1964, *Les Parlers Bas-Normands de L'île de GUERNESEY* Paris Librairie C. Klincksieck.

TOMLINSON, H., 1981, *Le Guernesiais : étude grammaticale et lexicale du parler normand de l'île de Guernesey*. PhD thesis.

CHAPITRE 5

ENSEIGNEMENT DU NORMAND ET PRATIQUES CULTURELLES EN NORD-COTENTIN (2001-2008)[1].

Introduction[2]

La Communauté Européenne, reconnaissant le multiculturalisme, a mis l'accent sur le respect des différences et des diversités en particulier linguistiques. C'est le sens de la Charte européenne des langues minoritaires de 1992 par laquelle les pays signataires s'engageaient à respecter et à développer les langues régionales. Nous savons que la France refusa de la signer dans son intégralité jusqu'en 1999. Pourtant l'Éducation Nationale avait commencé à mener une réflexion bien auparavant, puisqu'une circulaire du 21 juin 1982 reconnaissait la diversité culturelle régionale comme patrimoine national à sauvegarder. Le 27 février 1997, dans le prolongement de la Charte, parut une autre circulaire intitulée « Les langues régionales, un enjeu pédagogique et culturel », complétée par une circulaire sur l'école rurale l'année suivante. L'objectif était de rapprocher l'enfant scolarisé de son environnement culturel immédiat dont la langue vernaculaire et la culture régionale font partie. D'ailleurs des déclarations politiques venaient soutenir cette nouvelle voie, celle de Lionel Jospin en octobre 1997 devant le Conseil de l'Europe : « Plus que jamais, en cette fin du 20ᵉ siècle qui voit se développer la mondialisation des échanges et la globalisation de l'économie, l'Europe a besoin d'affirmer son identité qui est faite de la diversité de son patrimoine linguistique et culturel. A cet égard,

---

[1] Christine Pic-Gillard, Chercheur Laboratoire CRICCAL Paris 3 Sorbonne Nouvelle, Enseignante Chercheur associé laboratoire ORACLE, Université de La Réunion (France).

[2] Par ailleurs, cet article reprend des éléments de deux articles déjà publiés (Pic-Gillard, 2006 et 2008).

les langues et cultures régionales méritent, de notre part, une attention particulière : nous devons les préserver et les faire vivre. » et celle de Jack Lang le 25 avril 2001 : « Une langue, quel que soit son nombre de locuteurs, est un trésor humain et sa disparition ampute le patrimoine de l'humanité. »

Paradoxalement, la reconnaissance des langues régionales a été un facteur aggravant de discrimination entre les langues-cultures régionales. En effet, toutes les langues régionales n'ont pas bénéficié d'un enseignement en tant que langue vivante, avec pour corollaire la création de concours d'enseignement, rejetant dans l'ombre les langues régionales minoritaires. Le normand, victime d'un préjugé négatif, n'a pas accédé au statut de langue régionale, rejeté dans la catégorie des patois. Pourtant le normand, dont le nombre de locuteurs est estimé à vingt mille[3] au nord de la ligne Joret[4], est répertorié comme langue en situation de bilinguisme sur la carte de la situation linguistique en France, établie à partir d'une enquête menée par Henriette Walter entre 1974 et 1978. La non-reconnaissance du normand par l'Etat pose la question des stéréotypes et de l'appartenance, et, par voie de conséquence, celle de la fonction ontologique et de l'adaptation.

Pourtant, les normanophones ont des pratiques éducatives et culturelles. En 2000, des articles parus dans la presse du Nord-Cotentin rendaient compte de travaux réalisés en langue normande par des élèves de deux collèges de la région. La production de disques et de spectacles, l'existence de chorales, laissaient entrevoir un dynamisme qui méritait notre attention dans le cadre de nos travaux sur l'enseignement des langues minorées. Nous avons donc entrepris une étude, modeste par le champ d'enquêtes exploré, des pratiques et des attitudes

---

[3] Locuteurs de Normandie continentale et des Iles.

[4] La ligne Joret est une isoglosse établie par le linguiste Charles Joret au XIXe siècle. Elle permet de distinguer le parler de la Normandie germanisée et maritime au nord de celui de la Normandie gallo-romaine et terrienne au sud. Elle s'étend de Granville à la frontière belge.

linguistiques des locuteurs et non-locuteurs normands, en milieu scolaire, à partir des expériences d'enseignement du normand dans deux collèges du Nord-Cotentin. Nous nous intéresserons donc aux résultats des enquêtes menées en 2001 dans la Hague dans ces deux collèges d'enseignement secondaire. Puis nous répertorierons les pratiques culturelles dans une aire géographique qui englobe ces deux établissements afin de rendre compte de l'environnement culturel de ces apprenants. Enfin nous nous interrogerons sur la fonction ontologique et instrumentale des pratiques scolaires et culturelles dans la perspective suivante : si l'existence de normanophones est avérée, qu'en est-il des interlocuteurs ? Ces pratiques s'inscrivent-elles dans une perspective transculturelle et interculturelle ou intra-culturelle ?

L'enseignement du normand dans le Nord-Cotentin en 2001

Situation géographique et niveau de scolarité

Deux régions du Nord-Cotentin étaient concernées en 2001 par l'enseignement du normand : La Hague (de Beaumont-Hague aux Pieux) et la circonscription de Valognes. Dans la circonscription de Valognes des expériences en écoles primaires avaient lieu à l'initiative de certains enseignants, qui montraient de l'intérêt pour cet enseignement lors de conférences pédagogiques, et recevaient le soutien de leur responsable pédagogique pour le mettre en place dans leurs classes, avec les objectifs suivants : valoriser la culture de l'enfant ; faire prendre conscience à l'enfant que la culture est ce qu'il vit, pas ce qui est montré à la ville ou à la télévision ; faciliter les apprentissages linguistiques en se basant sur les compétences langagières de l'enfant. L'enfant, lorsqu'il emploie des structures propres au normand doit savoir les distinguer en tant que langue à part entière et non comme une déformation du français, et s'en servir de manière contrastive.

Dans la Hague les expériences d'enseignement se situaient surtout dans le premier cycle de l'enseignement secondaire (quelques pratiques en écoles primaires non formalisées). L'ouverture de ces cours facultatifs est subordonnée à l'inscription de quinze élèves au minimum. Des supports pédagogiques sont disponibles pour les enseignants intéressés, notamment des CD de chansons avec partitions et livret pédagogique.

Nous avons retenu dans notre étude deux collèges que nous avons visités en mars 2001 : le collège de Beaumont-Hague et le collège des Pieux, soit 41 apprenants en normand, 3 ex-apprenants et 38 non-apprenants.

Didactique et pédagogie

Le collège des Pieux offrait la possibilité d'une heure de normand par semaine en sixième et cinquième. Le travail pédagogique consistait à apprendre des chansons, traduire du normand au français ou vice-versa (fables de la Fontaine), apprendre des histoires du patrimoine. Nous avons mené une observation dans deux classes de ce collège. Dans une classe de cinquième nous avons observé les pratiques suivantes :

a)   Lecture d'un texte par l'enseignant. Répétition par les élèves, explication du vocabulaire. L'enseignant parle en normand ; les élèves s'appuient sur des références, soit apprises auparavant soit vécues.

b)   Préparation de la pièce de théâtre qui va être jouée. Répétition en autonomie.

c)   Une élève travaille seule avec un dictionnaire sur un texte : exercice de compréhension et de traduction.

Dans une classe de sixième, nous avons observé ce type d'exercice : à partir du mot normand et anglais il fallait que les apprenants retrouvent le mot français. Les apports culturels étaient nombreux.

Le collège de Beaumont-Hague proposait en 2001, dans le « parcours diversifié » en cinquième, une heure de normand pendant un semestre. La demande était forte dès la sixième mais, les structures d'accueil faisant défaut, il n'était pas possible au Collège d'y répondre. Le cours était conçu en partenariat avec l'enseignement musical, c'est à dire en collaboration avec le professeur de musique : apprentissage de chants, création des paroles et des musiques. Nous avons assisté à l'apprentissage de la chanson *Su la mé*, avec la forme musicale de l'époque, selon la méthode suivante :

a) explications sur la variante de normand ;

b) traductions et explications grammaticales ; synonymes ; formes interrogatives ;

c) découverte de la musique ;

d) répétition en chœur vers après vers sans chanter ;

e) répétition en musique rythmique et harmonique.

Les élèves ne prenaient pas de notes mais participaient activement à la traduction. Nous avons observé quelques difficultés de prononciation.

Les attitudes linguistiques des apprenants

Le travail de terrain a consisté à faire remplir des questionnaires pendant le cours. Le champ d'enquête est constitué des élèves de sixième et cinquième du collège des Pieux apprenants en normand, ex-apprenants en normand et non-apprenants, et des élèves de cinquième apprenants en normand du collège de Beaumont. Les axes de questionnement qui soutiennent les enquêtes sont :

- Connaissance de locuteurs en normand.

- Comportement langagier.

- Attitudes psycholinguistiques.

- Connaissance des autres langues régionales.

- Attentes.

Questionnaires et résultats

APPRENANTS			
Ecole	Les Pieux	Les Pieux	Beaumont
Classe	6^e	5^e	5^e
Nombre d'élèves	16	11	14

Père né dans la Manche			
Oui	13	07	12
non	03	04	02
Mère née dans la Manche			
Oui	13	08	11
non	03	03	03
Couple mixte, manchois et autre	02	02	01
A ton avis parle-t-on encore			
normand :	15	11	14
Oui	01	00	00
non			
Connais-tu quelqu'un qui le			
parle en dehors de l'école :	16	10	12
Oui	00	01	02
Non	06	06	06
Un ami	04	05	02
Un voisin	15	08	07
Famille			
L'as-tu personnellement entendu			
le parler :	16	10	12
Oui	0	01	02
non			
Pourquoi as-tu choisi			
d'apprendre le normand :			
C'est une jolie langue	03	05	03
Je peux le parler en famille	09	09	05
C'est mon origine	07	08	04
Juste pour le plaisir	08	07	10
Autre : peur de la perdre		01	
Qu'apprends-tu (plusieurs			
réponses possibles) :	16	10	14
A parler	14	10	14
A lire	02	07	03
A écrire des histoires	04	07	03
A raconter des histoires	07	10	04
Les coutumes			
Aimerais-tu qu'il existe une TV			
en normand :	12	10	11
Oui	04	01	03
Non			
Quelles sont les autres langues	13 Aucune	08 Breton	11 Aucune
régionales que tu connais :	11 Corse	03 Basque	01 Breton
(question ouverte)	03 Breton	02 Patois	01
	03 Basque	02 Aucune	Berrichon
	01 Nord	01 Corse	01 Nord
		01 Latin	

Te sens-tu (classer de 1 le plus fort à 3 le plus faible) Haguais Normand français	Français 12 en 1 Normand 10 en 2 Haguais 15 en 3	Normand 9 en 1 Français 6 en 2 Haguais 8 en 3	Français 6 en 1 Haguais 6 en 2 Normand 4 en 3

Tableau 1. Les apprenants

Les apprenants en normand en sixième et cinquième du collège Les Pieux sont issus en majorité de parents nés dans la Manche. Ils pensent, à l'unanimité sauf un, que le normand est encore aujourd'hui langue de communication. Leur sur-évaluation est due à la forte pratique en milieu familial dans toutes les générations : 14 enfants affirment que leurs grands-parents parlent normand et le même nombre dit avoir un membre de la famille de la génération des parents (père, mère ou oncle) qui parle normand. D'ailleurs, logiquement, le choix de l'apprentissage du normand est motivé par la possibilité de le parler en famille ; vient ensuite le plaisir et l'origine. Ces choix sont en cohérence avec ce qu'ils apprennent (les coutumes, parler et lire). Le désir d'avoir une télévision en normand est partagé par la presque totalité des enquêtés. Leur connaissance des autres langues régionales évolue de la 6ᵉ à la 5ᵉ. En effet en 6ᵉ 13 des 16 apprenants n'en connaissent aucune alors qu'ils ne sont que 2 en 5ᵉ. Peut-être faut-il voir dans cette différence l'effet du travail de sensibilisation aux langues régionales par le biais de l'apprentissage du normand. Par contre les apprenants de 5ᵉ citent un grand nombre de langues qui correspondent en fait à des régions (Auvergne, Jura, Limousin, Nord, Marseillais), sauf le latin et le patois. Ces deux dernières citations ne manquent pas de surprendre. Le latin en tant que langue morte est assimilée à une langue régionale et le patois est distingué du normand ; c'est une autre langue régionale. Nous remarquons une évolution dans le sentiment d'appartenance. Les apprenants de 6ᵉ disent se sentir français en premier, le normand venant juste derrière. En 5ᵉ les scores sont inversés et l'écart se creuse : ils se sentent d'abord normands (9 citations) et ensuite français (6 citations).

Les parents des apprenants du collège de Beaumont-Hague sont originaires de la Manche en très grande majorité, 1 seul couple est mixte. Les apprenants du Collège de Beaumont pensent, comme les apprenants du collège des Pieux, que le normand est encore parlé puisque, en effet, il est parlé dans leur entourage. Les locuteurs se répartissent également entre amis et famille, toutes générations confondues, de l'arrière-grand-père au père. La motivation première de l'apprentissage du normand est le plaisir ; les autres motivations se répartissent également entre le fait de pouvoir le parler en famille, l'appartenance, et l'esthétisme de la langue. Les apprentissages sont ceux d'une langue vivante : parler et lire. Le désir d'une télévision en langue normande est partagé par une grande majorité (11 sur 14). Leur connaissance de l'existence des langues régionales est mauvaise. Ils ne peuvent en citer qu'une chacun. Le corse n'est même pas cité.

Leur sentiment d'appartenance est original comparé à celui des collégiens des Pieux car, si comme eux ils se sentent français, par contre, ils se sentent Haguais en deuxième position. En réalité il y a peu de différences dans le nombre de citations entre Haguais et Normand. Ils ne semblent pas distinguer nettement entre les deux termes. De manière globale, les réponses sont similaires à celles des apprenants du collège des Pieux, sauf en ce qui concerne leur sentiment d'appartenance.

NON-APPRENANTS			
École		Les Pieux	Les Pieux
Classe		6ᵉ	5ᵉ
Nombre d'élèves		13	24
Père né dans la Manche	Oui	09	12
	non	04	11
Mère née dans la Manche	Oui	09	14
	non	04	09
Couple mixte		04	04
Ne sait pas			01
A ton avis parle-t-on encore normand :			
Oui		11	23
non		02	01
Connais-tu quelqu'un qui le parle en dehors de l'école :		08	23

Oui	05	01
Non	03	10
Un ami	02	03
Un voisin	06	12
Famille		
L'as-tu personnellement entendu le parler :		
Oui	07	16
non	03	07
As-tu déjà vu un texte écrit en normand :		
Oui	07	16
Journal	04	13
Livre	02	01
autre		01 affiche
non	06	08
Aimerais-tu apprendre le normand :		
Oui	04	03
non	09	20
		01 peut être
Pourquoi :		
Oui Langue jolie	01	01
Langue utile	01	00
C'est mon origine	02	01
Non Accent pas joli	03	06
Pas moderne	05	06
Pas utile	05	11
Je ne suis pas normand	04	07
Qu'aimerais-tu apprendre		
Parler	01	16
Raconter des histoires	02	04
Ecrire	02	20
chanter	00	06
Aimerais-tu qu'il existe une TV en normand		
Oui	01	06
non	12	17
		01 peut être
Quelles sont les autres langues régionales que tu connais (question ouverte) :	10 Aucune 03 Basque 02 Corse 01 Breton	10 Aucune 07 Breton 06 Latin 04 Patois 03 Alsacien 01 Basque
Te sens-tu (classer de 1 le plus fort à 3 le plus		

faible) Haguais Normand français	Français 13 en 1 Normand 9 en 2 Haguais 9 en 3	Français 12 en 1 Normand 10 en 2 Haguais 16 en 3

Tableau 2. Les non-apprenants

EX-APPRENANTS	
École	Les Pieux
Classe	5^e
Nombre d'élèves	03
Père né dans la Manche Oui	03
non	00
Mère née dans la Manche Oui	01
non	02
Couple mixte, manchois et autre	02
A ton avis parle-t-on encore normand :	
Oui	03
non	00
Connais-tu quelqu'un qui le parle en dehors de l'école :	
Oui	03
Non	00
Un ami	00
Un voisin	01
Famille	03 grands parents
L'as-tu personnellement entendu le parler :	
Oui	03
non	00
Pourquoi avais-tu choisi d'apprendre le normand :	
C'est une joli langue	01
Pour parler avec quelqu'un de ma famille	01
C'est mon origine	01
Juste pour le plaisir	03
Qu'as-tu appris	
Parler	03
lire	02
Ecrire	03
Raconter des histoires	03
Les coutumes	02
Pourquoi as-tu abandonné (question ouverte)	
Trop de devoirs	02
Apprend avec la famille	01
Aimerais-tu qu'il existe une TV en normand	

Oui	00
non	03
Quelles sont les autres langues régionales que tu connais (question ouverte)	01 aucune 02 patois 02 français
Te sens-tu (classer de 1 le plus fort à 3 le plus faible) Haguais Normand français	Français 03 cit. en 1 Normand 02 cit. en 2 Haguais 03 cit. en 3

Tableau 3. Les ex-apprenants

Au collège des Pieux, les 37 élèves non-apprenants des mêmes classes de sixième et de cinquième auxquelles appartiennent les apprenants présentent la même caractéristique d'homogénéité dans l'origine. Comme eux ils sur-valorisent l'usage de la langue normande, ce qui s'explique par le fait que la langue est parlée dans l'entourage immédiat de l'enfant, tant par les voisins et amis que par les membres de la famille, par les deux générations antérieures : grands-parents et parents. Par ailleurs, ils ont une connaissance de la langue écrite, en majorité par le livre ; le journal est peu cité.

Peu manifestent le désir, non satisfait, d'apprendre le normand, pour deux raisons : la joliesse de la langue et leur origine. Les autres 29 élèves qui ne désirent pas apprendre le normand pensent que le normand n'a pas de rentabilité ni de modernité. En majorité, s'ils l'apprenaient ce serait pour communiquer à l'oral. Mais ils n'ont pas d'intérêt pour une télévision en normand. En majorité, ils ne connaissent aucune des autres langues régionales parlées en France. Ceux qui peuvent en citer citent plus souvent le patois et le latin que le corse. Remarquons que nous retrouvons ces deux citations spontanées, comme chez les apprenants. Le sentiment d'être français domine beaucoup plus largement que parmi leurs camarades apprenants.

Trois élèves de la classe de 5e ont abandonné l'apprentissage du normand. Leur choix avait été fait pour le plaisir, et les raisons de l'abandon sont la charge de travail ; une élève affirme pouvoir apprendre le normand en famille. Ils ont tous des locuteurs dans la famille mais il s'agit des grands-parents et non des parents ou des oncles. Ils ne font pas montre d'un désir d'une télévision en langue régionale. Ils ne connaissent aucune autre langue régionale et citent curieusement le français, et, eux aussi, le patois.

Ils ne présentent pas de différences notables avec les non-apprenants, mais cependant ils présentent des différences avec les apprenants. Les ex-apprenants présentent les caractéristiques des non-apprenants.

Les pratiques culturelles

Les relais

Le relais le plus ancien, et qui a aujourd'hui des prolongements informatiques, est le relais associatif. L'association Magène est la plus active, notamment par son site informatique, « D'ichi et d'ilo sus le trîge de Magène », et sa production artistique : spectacles et CD. Mais de nombreuses autres associations de promotion de la langue et de la culture normandes existent. Certaines se sont regroupées au sein d'une fédération en 2000 « L'assembllaée és Normaunds ». C'est le cas de « Prêchi Normaund » qui tient des réunions mensuelles et a produit une brochure de contes ; de « L'Université Populaire du Coutançais » qui produit des recueils pédagogiques ; de « L'Université populaire du Nord-Cotentin » qui promeut les oeuvres de l'écrivain Cotis-Capel ; de « l'Université Inter-Âge de Saint-Lô » qui propose des cours et des rencontres en normand ; de la « Société Régionaliste Normande Alfred Rossel » qui promeut la culture, conserve les traditions et édite une revue ; de l'association « Les Amis du Donjon » qui se réunit tous les mois et édite une revue culturelle et historique, *La voix du Donjon*, dont certains textes sont rédigés en normand. La fédération « L'Assembllaée és Normaunds » est actuellement en pleine réflexion sur son devenir ; elle envisage de rejoindre le « Congrès des Parlers Normands et Jérriais ». Cette fédération, créée en 1996, fédère plusieurs associations [5] et coordonne leurs activités de préservation et de promotion de la langue normande à Jersey[6].

Le Mouvement Normand est un mouvement régionaliste créé en 1971, issu du Mouvement de la jeunesse de Normandie créé en 1969 et de l'Union pour la Région Normande. Ce mouvement entre peu dans le cadre de notre étude, si ce n'est par le dernier de ses objectifs cités : « La défense et la promotion de l'identité normande et de la culture enracinée de Normandie ». Le Mouvement Normand possède un site Internet et édite une revue *L'Unité Normande*, disponible en ligne.

Le site Internet le plus important est celui de l'association Magène, régulièrement mis à jour, qui propose toute l'actualité de la langue normande. Des liens renvoient vers des articles de fond, une bibliographie d'auteurs normands, un dictionnaire en ligne, des cours, des discographies et des archives. Il est aussi possible d'écouter des contes tout en ayant le texte sous les yeux. Un autre site est aussi très complet ; celui de la Maison de la Normandie et de La Manche à Jersey. Le site présente les liens historiques [7] entre les Îles Anglo-normandes et la Normandie, ainsi que les domaines d'interventions de l'association et les associations de promotion.

La radio locale France Bleu Cotentin propose une chronique hebdomadaire « Parlez-vous normand » diffusée chaque dimanche matin, qui peut être écoutée sur le site Internet de Radio France Bleu Cotentin, ainsi qu'une chronique quotidienne « Bi l'boujou ! » du lundi au vendredi, diffusée le matin tôt et l'après-midi, animée par la Société Alfred Rossel. France Bleu Basse-Normandie a consacré en octobre 2008 cinq émissions à l'association Magène. La BBC est aussi un

---

[5] « L'assembliée d'jèrriais » ; « Le Don Balleine » ; « La section de la langue jérriaise de la Société Jersiaire ».

[6] Le jèrriais est enseigné depuis 1999 dans les écoles de l'île de Jersey.

[7] Présentés par François Neveux, professeur d'histoire du Moyen-Age à l'université de Caen et Directeur de l'Office Universitaire d'Etudes Normandes.

relais dans les Iles anglo-normandes ; elle a nommé un permanent salarié à Guernesey pour la sauvegarde et la promotion du guernesiais sur l'île.

Les Universités populaires et Inter-Âges jouent un très grand rôle promotionnel, tant de la langue que de la culture. L'Office Universitaire d'Études Normandes rassemble tous les chercheurs de l'Université de Caen effectuant des travaux scientifiques sur la Normandie ; il délivre un Diplôme d'Université (Diplôme Études Normandes). Un des axes de l'Office est l'étude des parlers de la Normandie ; il a organisé en 1999 le VIIe Colloque International de Dialectologie et de Littérature du domaine d'oïl occidental[8].

L'édition joue aussi son rôle de relais de connaissance de la langue et de la culture. Une méthode d'auto-apprentissage du normand a été publiée en 1984 (Hippolyte Gancel) ; une quarantaine d'écrivains publie des récits, contes et histoires en bilingue ou unilingue normand ; quelques revues publient des articles en normand[9] mais surtout les Presses Universitaires de Caen qui publient les études menées par l'Office Universitaire Études Normandes (O.U.E.N). Ces livres sont en bonne place dans les librairies de Cherbourg.

Les manifestations culturelles

L'association Magène produit des disques de chansons, d'histoires, de contes. Depuis 1998 l'association présente un spectacle d'une vingtaine de chansons tout au long de l'année. L'agenda de Magène est bien rempli : huit représentations sur les huit derniers mois, principalement dans la Manche et plus particulièrement dans le Nord-Cotentin, mais aussi à Jersey et à Guernesey. La couverture médiatique est faite par la presse écrite locale (La Manche Libre ; La Presse de la Manche) mais

---

[8] Actes parus en 2003 aux Presses Universitaires de Caen, « A l'Ouest d'oïl, des mots et des choses » (Catherine Bougy, Pierre Boissel et Stéphane Lainé, éd.)

[9] *Le Boué Jaun* à Cherbourg ; *Le viquet* à Saint-Lô ; *Les Nouvelles Chroniques du don Balleine* à Jersey.

aussi par la presse nationale comme l'Express qui écrivait en 1999 : « Plus qu'un patois, c'est une parole originelle qui réveille une authentique identité régionale. » Le mot *patois* est employé par les journalistes nationaux, c'est le cas aussi de la présentatrice de FR3 Katia Epting qui disait en novembre 2006 « J'ai découvert le patois normand par hasard », mais aussi par les journalistes locaux. D'autres n'hésitent pas à faire leurs commentaires dans la langue vernaculaire, comme le journaliste de la Presse de la Manche : « Dauns men prêchi, j'sérai-t-i dire la terre ? j'sérai-t-i dire la mé ? j'sérai-t-i dire la jouée ? oui, en langue normande on peut tout dire. » La question soulevée est essentielle.

La « Fete des Rouaisons » ou « Fete Normaunde » rassemble toutes les communautés d'expression normande, des Iles anglo-normandes à la Seine-maritime. Elle se déroule tous les ans depuis 1998 dans un lieu différent ; s'y rencontrent chanteurs, écrivains, conteurs. Jersey accueillera cette rencontre en 2008, avec un concours littéraire dit « compétition d'êcrithie ».

L'O.U.E.N organise tous les ans une Université d'été sur le thème « La Normandie médiévale et son expansion européenne ».

Conclusion : Dialogue interculturel ou dialogue communautaire ?

Les pratiques éducatives et culturelles décrites précédemment montrent que le normand est une réalité dans le Nord-Cotentin et les Îles Anglo-normandes ; la langue normande n'est pas qu'un sujet de recherches universitaires : elle exprime une culture vivante. Bien entendu il faudrait souligner l'absence d'études sur les niveaux de compétence des locuteurs ainsi que sur les variantes parlées et enseignées ; cependant tout locuteur est digne d'intérêt, quelle que soit la « pureté » de son parler. A partir du moment où une personne déclare parler, lire et écrire en normand, il se considère comme faisant partie d'une communauté de langue et donc de culture. Le langage ne désigne pas une réalité qui lui serait préexistante mais chaque langue représente une analyse du monde extérieur qui impose au locuteur une manière de voir et d'interpréter son environnement. La langue est donc un mécanisme qui construit la réalité et l'organise de manière singulière ; c'est pourquoi elle n'est pas idéologiquement neutre.

Dans une société où il existe une hiérarchie entre des langues en contact, les langues vernaculaires ne sont pas l'expression du discours dominant. Les formes du discours qui circulent ne renvoient pas à une vérité unique mais plutôt à un ensemble de vérités culturelles dans un rapport de confrontation. La cohésion culturelle est assurée par la transmission des valeurs par le discours éducatif étatique. Le rapport du normand avec la langue et la culture françaises est celui de la cohabitation pacifique puisqu'il n'existe pas de revendication identitaire politique de la part des associations, ni même du Mouvement Normand, avec un déséquilibre évident : la langue et la culture normandes ne sont pas reconnues par les organismes d'État éducatifs et culturels.

Les initiatives éducatives ne sont pas interdites dans l'enseignement public, mais elles sont dépendantes de la bonne volonté d'un chef d'établissement et d'enseignants volontaires ; ce qui fragilise les pratiques linguistiques éducatives, tant dans leur représentation que dans leur mise en oeuvre et dans leur pérennité. Dans les objectifs définis par Éducation Nationale, le recours a la langue vernaculaire est un tremplin vers une bonne acquisition de la langue française. Par exemple, les enseignants de français peuvent utiliser leur connaissance des spécificités linguistiques des élèves de culture normande pour corriger les erreurs en langue française, et les apprenants en normand doivent apprendre à distinguer ce qui appartient à la syntaxe normande de ce qui appartient à la syntaxe française pour éviter les interférences. Le dialogue interculturel est alors biaisé par les objectifs éducatifs étatiques.

Cependant l'observation des enseignements en normand indique la volonté de l'enseignant, volontaire et militant, rappelons-le, de mettre l'apprenant dans un contexte linguistique et culturel positif. En montrant le lien historique entre le lexique anglais et le lexique normand, l'enseignant signifie à l'apprenant que son parler est une langue à part entière, dont l'aire de diffusion dépasse ses limites géographiques et culturelles actuelles. Il met le locuteur normand dans l'histoire ; de ce fait il éveille l'auto estime de l'élève pour sa langue et sa culture, lequel pourra alors se signifier à soi-même et signifier aux autres son appartenance, par-delà les stéréotypes et les préjugés. Les enquêtes montrent que les non-apprenants pensent que l'apprentissage du normand n'a aucun intérêt, puisque c'est une langue ni rentable ni moderne, alors que les apprenants justifient leur choix par leur sentiment d'appartenance. La fonction ontologique ne s'applique qu'aux apprenants car les non-apprenants n'ont pas de lieu pour changer d'attitudes psycholinguistiques. Il s'agit, pour les locuteurs en normand, d'avoir les outils pour se reconnaître différent afin de mieux s'adapter à l'environnement scolaire, différent de l'environnement familial.

La culture normande s'inscrit dans un espace national et régional. Elle est une des cultures d'une France multiculturelle dans laquelle plusieurs imaginaires cohabitent dans un même espace. La cohabitation n'induit pas un dialogue interculturel. D'ailleurs les organes de État ignorent totalement les expressions de la culture normande, à tel point qu'elles ne font même pas l'objet d'une récupération à l'usage des touristes. Les manifestations culturelles, nombreuses et régulières, trouvent leur public parmi les locuteurs normands. Il est à souligner que l'humour, genre très développé, voire le plus courant, n'est accessible qu'aux normanophones

Par contre, il existe une transculturalité, c'est à dire une corrélation entre les imaginaires des normanophones français et anglais (Îles Anglo-Normandes), qui organisent des rencontres communes. L'espace culturel et linguistique régional est transnational. Le programme de coopération de l'O.U.E.N s'appuie sur les liens historiques entre la Normandie, l'Italie (Sicile), la Grande-Bretagne et bien entendu les Îles Anglo-Normandes. Il existe d'ailleurs un Centre Européen Études Normandes. Le dialogue interculturel universitaire est une réalité ; il est plus facile à instaurer que dans la société puisque l'étude de la dialectologie et de la culture normandes est le point de convergence, au-delà des cultures dominantes des chercheurs (anglaise, française, italienne).

Nous ne pouvons pas parler de repli communautaire normand dans les pratiques linguistiques éducatives et culturelles puisque la transculturalité est très forte et bien organisée. Cependant il n'existe pas de dialogue interculturel entre la culture française dominante et la culture normande, non pas minorée mais ignorée et péjorée. Parler de dialogue interculturel présuppose non seulement l'existence de deux cultures bien distinctes mais aussi une reconnaissance de chacune des cultures par l'autre culture. Or la société française considère qu'en Normandie la standardisation a été telle que la culture normande s'est fondue dans la culture française et que la langue normande est un sous-produit de la langue française. La culture normande n'a de visibilité que pour les normanophones, souvent militants. Les cours dispensés aux élèves des collèges – une centaine par an [10] – forment des normanophones qui trouveront des relais dans leur environnement proche, développant chez eux probablement l'idée que dans une même sphère culturelle, s'il existe de l'identique, il existe aussi de la différence. Souhaitons que la même prise de conscience du moi et de l'altérité puisse naître au sein de la communauté nationale.

Bibliographie

ABADALLAH-PRETCEILLE M., 2004, 2ᵉ éd. remise à jour, *L'éducation interculturelle*, Puf, *Que sais-je ?*

BASTIDE R., 1971, *Anthropologie appliquée*, Paris, Payot.

CERTEAU M. de, 1975, *Une politique de la langue. La Révolution française et les patois : l'enquête de Grégoire*, Paris, Gallimard.

CLANET C., 1993, *L'interculturel : introduction aux approches interculturelles en éducation et en sciences humaines*, Toulouse, Presses Universitaires du Mirail.

---

[10] Au collège des Pieux il convient d'ajouter le collège de Bricquebec qui assure aussi un enseignement.

HAGÈGE C., 2000, *La mort des langues*, Paris, Odile Jacob.

PIC-GILLARD C., 2006, « L'enseignement du normand dans le Nord-Cotentin », dans *Expressions*, n°27, pp.193-210.

PIC-GILLARD C., 2008, « Le normand en Nord-Cotentin, un dialogue inter ou intra-culturel ? », dans *Revue Européenne d'Ethnographie de Éducation,* n°5, pp. 157-166.

MARTINET A., 1975, *Evolution des langues et reconstruction. Les changements linguistiques et les usagers*, Paris, PUF.

SAPIR E., 1971, *Le langage : introduction à l'étude de la parole*, Paris, Payot.

WALTER H., 1982, *Enquêtes phonologique et variétés régionales du français*, Paris, PUF.

WALTER H., 1988, *Le français dans tous les sens*, Paris, Robert Laffont.

CHAPITRE 6

LA PRODUCTION LITTÉRAIRE CAUCHOISE : VITALITÉ ET MODERNITÉ[1]

Introduction

On entend par patois cauchois cette variété de la langue normande parlée dans une sorte de triangle Le Havre-Yvetot-Dieppe et s'étendant à une quinzaine de kilomètres à l'est de l'axe Montville-Dieppe. Justifions d'abord l'emploi du mot « patois ». Depuis la définition péjorative donnée au XVIIème siècle par Furetière dans son Dictionnaire Universel, des linguistes voire des patoisants eux-mêmes en refusent l'emploi. En effet, Furetière écrit : « Langage corrompu et grossier, tel que celui du menu peuple, des paysans et des enfants qui ne sçavent pas encore bien prononcer ». De nombreux dictionnaires la reprendront. Pourtant, dès la fin du XIXème Siècle des linguistes comparatistes et des dialectologues l'utilisent tel Charles Guerlin de Guer pour l'un de ses tous premiers ouvrages *Le Patois normand* (1896) D'autres, nombreux, suivront, parmi lesquels le célèbre livre d'Albert Dauzat, *Les patois* (1927), le classique *Le Patois cauchois* de Raymond Mensire, en 1939... Le danger de la définition de Furetière est de laisser entendre que le patois est une déformation grossière du français. Le *Trésor de la langue française* (1971-1994) en donne une définition linguistique plus précise : « Système linguistique restreint fonctionnant en un point déterminé ou dans un espace géographique réduit, sans statut culturel et social stable, qui se distingue du dialecte dont il relève par de nombreux traits phonologiques, morpho-

---

[1] Etienne-Henri Charamon, Université Rurale Cauchoise – Association loi de 1901 (France).

syntaxiques et lexicaux ». Avant d'en terminer avec ces précisions concernant le mot patois et son étymologie plutôt incertaine, nous ne résistons pas au plaisir de citer l'approche toute romantique de Charles Nodier dans ses *Notions élémentaires de linguistique* : « C'est la langue du père, la langue du pays, la langue de la patrie » (1834 : 246). Il précise plus loin : « Les patois, langues autochtones, ont une grammaire aussi régulière, une terminologie aussi homogène, une syntaxe aussi arrêtée que le pur grec d'Isocrate, et le pur latin de Cicéron » (1834 : 248).

Le Pays de Caux est riche d'une importante littérature patoisante publiée depuis le milieu du XVIème Siècle. Ce corpus n'a pas toujours pas fait l'objet d'un répertoire approfondi. C'est cette approche qui est proposée ici avant de présenter la démarche actuelle de l'Université Rurale Cauchoise.

Les premiers textes cauchois

Le tout premier texte connu est *La Fricassée Crostestyllonnée* composée vers 1552 : « Salmigondis de dictons populaires, de fragments de chansons, de plaisanteries, le tout rassemblé sans ordre, au gré de la fantaisie la plus capricieuse » (1878 : IV). Il s'agit d'une plongée linguistique en sept cent seize vers, dans les rues de Rouen. Sa première publication remonte en 1604, elle fut rééditée à diverses reprises, plus près de nous en 1867 par la Société des bibliophiles normands et en 1878 par Prosper Blanchemain à la Librairie des bibliophiles.

Bien que la seule édition connue aujourd'hui ait paru, sans date, mais en fait, en 1735, chez Oursel l'aîné, à Rouen, *La Farce des quiolards* est une comédie en patois tirée d'un vieux proverbe normand : « Y ressemble à la Quiole, y fé dé gestes ». La Quiole est un savetier qui vient d'hériter et veut quitter son métier et mener la grande vie. Les Sergents, inquiets de ses comportements de dépenses, veulent se saisir de lui. Pour se débarrasser d'eux, il leur remet son argent. Le malheureux ainsi dépouillé revient à son premier état et finit par chanter lui-même sa mésaventure. Les recherches menées par le bibliographe Edouard Frère le conduisent à considérer que la pièce aurait été conçue dès 1596.

Suivent une série de pamphlets : *Le dialogue récréatif fait à Saint Nicaize par deux compagnons drapiez sus la réjouissanche de la paix* (6 p.), *Le dialogue entre deux drapiez de Saint Nicaize sur les controverses preschées par le Père Véron, le tout en langue de la Boise* (1628, 40.p), réédité au XIXème Siècle par A. Réville, *Les Maltotiers ou les pesqueux en yau trouble* (1649), réédité en 1884 par les Bibliophiles normands avec d'autres mazarinades, ainsi que *Les lettres de deux paysans sur la guerre de Succession d'Espagne* réédité par les mêmes Bibliophiles normands en 1881, sans oublier *L'agréable Conférance de deux Normans s'étans rencontrez sur le Pont Neuf de cette ville de Paris, traitans sur les affaires du temps présent. Dont l'un se nomme Perrin, et l'autre Nicolas. Dialogue. A Paris, chez Louis Pousset rue d'Escosse, au Mont Saint-Hilaire* (1652). Il s'agit d'exprimer anonymement les protestations de l'époque en utilisant le parler populaire des rues de Rouen avec du patois cauchois, mélange que l'on qualifiera de parler purin, expression devenant le véhicule pratique et efficace des contestataires.

David Ferrand, poète, imprimeur et libraire publie, à Rouen, en 1655 *L'inventaire général de la Muse normande divisée en XXVIII parties* constituant les quatre cent soixante quatre pages de ce monument de la littérature dialectale normande. Neuf ou dix pièces du recueil sont d'auteurs différents, tout le reste lui appartient. L'œuvre est écrite en langue purinique ou gros normand, c'est le parler des ouvriers teinturiers des quartiers Martainville, Saint-Vivien et Saint-Nicaise de Rouen dont une grande partie est issue des populations paysannes cauchoises patoisantes. L'exode rural existe déjà à cette époque. Le recueil a remporté un franc succès. Sept livrets d'imitations ont même été imprimés par Laurent Machuel et nous sont parvenus. David Ferrand est un poète aux registres multiples. Il sait particulièrement nous toucher quand, dans la XXVIème partie, il se montre nostalgique, dans le poème « Sur les regrets du bon temps jadis » :

Où est la saison où vivest no grands pères ?
Si revenest, y verrest à présent
D'un siecle d'or un siecle de miseres.

Louis Petit (1615-1693), le proche ami de Pierre Corneille qui ira jusqu'à le suivre à Paris, n'aura jamais la chance de voir publiés les vers dédiés à Olympe de Grémony, sa *Reine cauchoise.* Heureusement, Alphonse Chassant a su exhumer, publier en 1853, sous le titre *La Muse normande,* la part patoisante de son œuvre et permettre ainsi au lecteur de découvrir le charme de ses *Stanches,* de celle adressée à Fleuranche, de sa *Lettre envoyée à ste gran fame Toinete, malade d'une bouffiseure a la bedaine ; et su mal venait d'aver etey trop saularde* et autres fantaisies...

Les textes cauchois du 18ième siècle

Le siècle suivant est moins riche en œuvre dialectale. Seul *Le Coup d'œil purin* paraît en 1773. C'est l'histoire qui est à son origine. Rouen au XVIIIème Siècle est le théâtre de nombreuses émeutes : sept de 1725 à 1768, provoquées par la misère profonde du peuple, les inégalités insupportables. Les caisses de l'État sont vides, des réformes s'imposent. En 1768, Choiseul est renvoyé par Louis XV ; soutenu par le courant philosophique de Voltaire, c'est Maupeou qui est fait Chancelier. Le Parlement de Rouen, sorte de Tribunal régional, exclusivement composé de nobles a pu être considéré comme un contre-pouvoir à l'absolutisme royal, il s'attache à l'application du droit coutumier auquel les Normands sont très attachés. Maupeou décide de le supprimer et de le remplacer par un Conseil Supérieur dont les membres sont nommés par le Roi. Un premier écrit contestataire manuscrit circule sous le manteau, bientôt suivi d'une publication clandestine : *Le coup d'œil purin, augmenté par son Auteur de plus de sept cents vers,* Il porte en sous-titre : *Abrégé de l'histoire mémorable à la postérité, publié « à Tote, chez le grand père de Fiquet, dit Vil Normand, Hôtelier, à l'Enseigne de la Valise d'un Milord Escamotée, à Rouen, en son Hôtel d'Argent-court, et de Prefelne, son Associé, à la Trahison.* La page de titre donne le ton du pamphlet. La langue utilisée est pour une large part le parler purin. Deux personnages principaux interviennent : Gervais, un précurseur des Sans-Culottes, violent dans son expression, utilisant tant le patois que l'argot de l'époque et Gambelin, plus modéré voire opportuniste, cherchant à tempérer les propos. L'exemplaire en notre possession provient de la bibliothèque du poète normand Francis Yard et comporte une note manuscrite : « Attribué sans certitude à Dommey, greffier de la Chambre des Aides, ou à Dambourney, chimiste à Rouen. L'auteur semble être plus vraisemblablement G.J.Gervais, manufacturier à Rouen ». Si la valeur littéraire du document est relative, l'écrit n'en est pas moins le témoignage précieux de la dernière expression connue de ce parler purinique.

La Révolution Française sera néfaste aux patois. L'enquête de 1790, diligentée par l'Abbé Grégoire, évêque constitutionnel de Blois constate : « On peut assurer, sans exagération, qu'au moins six millions de Français, surtout dans les campagnes, ignorent la langue nationale ; qu'un nombre égal est à peu près incapable de soutenir une conversation suivie ; qu'en dernier résultat, le nombre de ceux qui la parlent purement n'excède pas trois millions, et probablement le nombre de ceux qui l'écrivent correctement est encore moindre » (Pop, 1950 : 12). La population de la France est alors d'environ vingt quatre millions. Les décrets de la Convention qui suivirent eurent bien entendu, des effets défavorables. Celui du 27 janvier 1794 soutenu par le Conventionnel Barère dénonce les dangers que font courir à la République les idiomes anciens. On doit donner aux citoyens le même langage. « Brisons ces instruments de dommage et d'erreur… Comme si c'était à nous de maintenir ces jargons barbares et ces idiomes grossiers qui ne peuvent plus servir que les fanatiques et les contre-révolutionnaires… » (Pop, 1950 : 10). Pierquin de Gembloux déplore : « Il faut bien avouer, que la Révolution faite par le peuple et à son profit par conséquent, doit compter parmi les malheurs qui l'accompagnèrent l'extinction menaçante et progressive des langues populaires » (Pop, 1950 : 10). Heureusement il ne suffit pas de décréter à Paris la destruction des patois pour qu'elle se produise !

Les textes cauchois du 19ième siècle

Le XIXième siècle sera franchement pauvre en production dialectale cauchoise. Deux textes seulement sont répertoriés. Sous le Premier Empire, Coquebert de Montbret, sous les auspices du Ministère de l'Intérieur, organise en 1807 une enquête nationale proposant de traduire la Parabole de l'enfant prodigue (Chapitre XV de l'Évangile selon Saint-Luc) dans tous les idiomes du Royaume. Une traduction en cauchois de la région de Lillebonne est adressée par Charles- Basile Pigné à la Sous Préfecture du Havre à la fin d'un travail sur l'idiome du Pays de Caux. Cette parabole ne fut publiée qu'en 1889, par Alfred Canel, à Pont-Audemer.

Vers 1830, l'Abbé A.S. Houlière (1803-1883) compose le texte d'une chanson encore reprise de nos jours dans les noces et les banquets. Elle est souvent représentée dans les séances de collectage organisées en pays cauchois. Il s'agit de la célèbre *Noter-Dame d'Autertot* (1887 : 5)

La Noter-Dame d'Autertot
Est eunne superbe assembleye
Les pu grands violonneux d'Yv'tot
Et tous les râcleux d'la tornaye
Y violonnent si bien...
Qu'cha vous met tout l'monde en train !

Les textes cauchois du 20ième siècle

Le XXième siècle, lui, sera très riche en production patoisante cauchoise. Les travaux de dialectologie vont se développer dans le dernier quart du siècle précédent. Dès 1897, Charles Guerlin de Guer crée le *Bulletin des parlers du Calvados* transformé, dès février 1898, en *Bulletin des parlers normands*. Les premiers numéros de 1901 vont voir apparaître le patois cauchois par les écrits du havrais Maurice Le Sieutre. Il s'agit de la célèbre *Cawnchon d'out* et la *Cawchon de l'aveyne*. La première est publiée en transcription latine et traduction française, la seconde, en alphabet phonétique de Gilliéron et l'Abbé Rousselot avec traduction française. La revue change de titre pour la troisième fois, elle devient la *Revue des parlers populaires* en 1902 et contient dans son premier numéro la *Cawchon ed' Mait'Michel* et une *Auguignette à Saint-Thomas* de Maurice Le Sieutre. Ce dernier est né au Havre en 1879 et mort à Paris en 1975. Elève de École des Beaux-Arts du Havre, il eut comme condisciples Raoul Dufy et Othon Friesz. Il est souvent présenté comme architecte ou sculpteur. Son œuvre en patois ne dépasserait pas une douzaine de poésies. Son ambition était de restituer un cauchois intégral selon les termes mêmes de Charles-Théophile Féret (Boulen, 1906 : IX).

Reprenant le principe de la classification proposée par René Lepelley (1977) apparaîtront d'abord des œuvres rédigées intégralement ou presque en patois. Leurs auteurs de la première génération sont des journalistes utilisant leur organe de presse pour y publier les histoires de leurs personnages s'exprimant dans un patois plutôt reconstitué.

Ernest Morel est né à Rouen en 1854, tôt passionné par la presse, il entre en 1890 au Petit Rouennais, remplacé en 1903 par la Dépêche de Rouen. Il en devient rédacteur en chef. C'est à partir de 1913 qu'il crée le personnage du « Berquier » Magloire de Querqueville en Caux qui dialogue avec ses amis Nénesse, Todule Bensard, Nestor Lamouque...Les paysans sont encore nombreux en France, à cette époque : près de vingt millions. Les protagonistes échangent librement leurs opinions dans un contexte radical et souvent anticlérical qu'ils comprennent souvent mal. Un recueil paraît en 1913 sous le titre *Les idées de Magloire*, avec une préface de Jean Revel. Le succès est considérable et ouvre la porte à d'autres auteurs.

L'autre journaliste, c'est Gabriel Benoist du Journal de Rouen. Le personnage de Thanase Péqueux, laboureur à Criquetôt sur Ouville, apparaît à partir de 1932. La langue de

Gabriel Benoist est essentiellement composée de cauchois avec quelques ajouts brayons conformes aux origines de l'auteur né à Gournay en Bray. L'auteur fabrique son expression pour les besoins de la cause. Thanase Péqueux est à l'origine un valet de ferme qui va parvenir à se hisser à la condition de fermier. Gabriel Benoist fait découvrir au lecteur le monde rural. Ses évocations sont souvent truculentes, on peut y trouver un intérêt ethnologique dans la description qu'il fait du comportement et de l'esprit des Cauchois. Les articles de presse paraîtront en volumes respectivement en 1933, 1935,1937. Un court roman en patois paraîtra sans date (circa 1980) : *Le mariage de Thanase Péqueux*.

Dans cette même catégorie peuvent figurer Gaston Demongé et Marceau Rieul. Gaston Demongé (1888-1973), fécampois, devient représentant de commerce et sillonne ainsi sa vie durant la Normandie. Dès l'âge de dix sept ans, il raconte et écrit des histoires qui sont le support de ses interventions sur scène. Il prend le nom de Maît'Arsène. En 1917, il publie *Aux gars de Normandie* (1917), son premier recueil de contes, poésies, silhouettes. Si certains tels Gaston Le Révérend et Fernand Lechanteur (1984 : 55) jugent sévèrement l'ouvrage, c'est peut-être parce qu'il s'agit de textes faits pour être dits lors de spectacles. Certaines pièces restent célèbres dans les familles et dans les fêtes cauchoises. Aujourd'hui encore, on entend le poème *A nout'fachon* :

Mettons-nous du bois dans la qu'mineye
J'veux point qu'la fré vienne no transir :
L'guernier est plein pour toute l'anneye,
Tu peux ca'auffer, cha fait plaisir !

En 1925, sort des presses *Les Terreux* (Demongé, 1925). Effectivement l'écriture s'est affirmée, y compris l'expression patoisante. Demongé est devenu selon le mot d'Albert Nicollet un écrivain du Pays de Caux (Nicollet, 2004). Il décrit avec nostalgie le monde traditionnel paysan :
Y a tant d'absents dans les villâges

Qu'tout s'rait perdu si no det'lait
Si fallait qu' l'homme s'décourage
Y'érait pas d'terre, y érait pus d'blé.

Les Terreux s'ouvre sur une *Causerie sur le Patois et quelques Patoisants Normands.* Cet écrit a un impact important sur les lecteurs et suscite une grande curiosité pour la littérature dialectale. Une réédition augmentée et remaniée du livre paraît en 1955 et provoque un intérêt encore plus grand pour la littérature cauchoise et normande. Enfin il faut citer la pièce en deux actes *La faux* parue en 1943. Elle présente la particularité de comporter une scène de l'acte II traduite par Demongé en patois.

Marceau Rieul (1900-1977) est aussi journaliste. Né à Bolbec, il devient typographe puis journaliste. C'est ainsi qu'il commence à écrire des histoires en patois et à les publier dans son journal. Il crée le personnage d'Arseine Toupétit et le village imaginaire de Becquevillette. Il aurait publié plus de cent vingt textes en plus des quarante réunis en volume, publié en 1965, année de son départ en retraite : *Arseine Toupétit, ses meilleues histouèes cauchoises.*

La seconde catégorie d'ouvrages utilise le français pour le récit et le patois, par exemple, pour les dialogues ou certains passages. Elle est caractéristique de plusieurs œuvres de Jehan Le Povremoyne. Eugène Coquin de son nom de naissance, voit le jour, en 1903, au Havre. Orphelin dès son plus jeune âge, il est d'abord élevé par une grand- mère paysanne, tisserande et un grand-père, berger. Son éducation est confiée au curé du village, l'Abbé Leprieur, fin lettré qui l'initie au latin et au grec. Il poursuit ses études au Grand séminaire de Rouen. A vingt ans, de retour au Havre, il devient journaliste à vingt trois ans et commence à publier des chroniques dans la presse locale. C'est en référence à Saint François d'Assise qu'il prend le pseudonyme de Jehan Le Povremoyne. En 1926, il publie son premier recueil de nouvelles : *Mon curé*, en hommage à son éducateur. Le texte est émaillé de cauchois : « Boujou, M'sieur l'Cuai, cha va-t-y, pi vous ? ». La vie du village y est décrite avec toutes ses traditions. Trois ans plus tard, en 1929, il

produit un roman, son chef-d'œuvre : *Les noces diaboliques*.
C'est l'histoire d'un orphelin Alphonse Hamel, adopté et initié
à la sorcellerie par le vieux « berquier » Cyprien Hamel. Les
aléas de la vie, un long service militaire, un amour trahi, un
enfant mort, une guerre, le rendront sauvage, diabolique, rongé
par la vengeance. Il finira sa vie tragiquement seul et misérable.
Véritable roman ethnographique dans lequel l'auteur a voulu
transcrire les légendes, les croyances, tant en Dieu qu'au Diable
des populations cauchoises. L'œuvre est puissante, le style,
riche, le patois, présent dans la bouche des personnages. En
1936, Jehan Le Povremoyne consacre *Aux pieds des Saints
cauchois* à l'étude des croyances religieuses et même à d'autres
croyances frisant la superstition, voire la sorcellerie. En fait, il
s'agit là d'un véritable travail de folkloriste sans prétention
scientifique. De ces croyances là, on comprend bien qu'il en a
une réelle nostalgie. Une large partie du *Pèlerinage à Saint-
Mellon* est écrite en patois cauchois. L'écrivain, le journaliste,
l'homme était estimé de tous, sa mort tragique au pied de la
falaise du Tréport a jeté la consternation. On garde de lui
l'image d'un ardant défenseur de la culture cauchoise et de son
parler traditionnel.

Raymond Mensire, né en 1889 à Doudeville y est mort en
1964. Clerc de notaire puis marchand de biens, il a passé sa vie
à sillonner le Pays de Caux. Son attachement au patois lui vient
de son enfance. « T'as bruchai, man paur tit ! Vi t'en fait tan
calin, man gataï. » lui disait sa vieille servante. Une grande
partie de son œuvre est écrite en alternant français émaillé de
cauchois et répliques en cauchois. C'est le cas de *Gestes, dits et
écrits de Maît' Firmin Cauchois, Maire de Guernouville en
Caux* (1933), d'*Œuf de coucou, roman* (1942), du recueil de
nouvelles *Les contes du fil-en-six* (1939), de certaines de ses
pièces de théâtre, les comédies cauchoises. La pièce *Le
testament de l'oncle Prosper* est un texte diglossique selon le
mot de Claudine Poulain (1987). A la question de l'Abbé
Dubosc « A-t-il encore sa connaissance ? », la paysanne
Mélanie répond : « 'Oh, il a co bien sa teïte à li ! » La célébrité
de Raymond Mensire tient à ses écrits, à la troupe de théâtre
qu'il a créée et animée à Doudeville pendant de longues années

et aussi à son célèbre petit livre à la couverture blanche et rouge *Le patois cauchois* paru en 1939 et souvent réédité depuis.

Pour ne pas alourdir l'exposé de ce corpus littéraire cauchois, il ne sera cité que pour mémoire des auteurs comme Charles Boulen (né en 1869) le bachelier-cultivateur de Saint-Maclou-de-Folleville, auteur du *Voyage à travers la couleur locale* (1906) qui contient des poèmes entiers en patois et ses *Sonnets pour la servante* (1921) écrits en français mais parsemés de nombreux termes locaux qui en font un véritable parler dialectal ; Paul Delesques et *Les récits cauchois du Pé Malandrin* (1912) ; le Havrais Jules Lambert et *Les aventures du Pé Constant* (1931) ; l'écrivain Edward Montier et *Le Pé Claudel, contes normands* (s.d.) ; le Dieppois Bernard Noël et *Les contes de la Mélie* (1974).

Avant d'en terminer avec ce large panorama une mention particulière sera faite à deux auteurs souvent omis.

Camille-Robert Désert (1893-1976) reconnaît lui-même avoir eu « une vie en dents de scie » (1972). Fils, d'ouvriers agricoles pauvres, il devient successivement, apprenti, employé de commerce, mandataire, greffier de Paix à Goderville, avant de retourner dans les affaires. En 1930, il a l'idée de créer le *Théâtre aux champs* (1975), pour « Le maintien des jeunes à la terre et une meilleure utilisation des loisirs ruraux ». Ses premières pièces de théâtre *La Famille Graillot, R'fée sa vie, L'invitation* sont écrites en cauchois. « L'idée me vint d'écrire en patois, une comédie dont le sujet était puisé dans la vraie vie rurale avec le vocabulaire courant… le succès me contraignit de continuer en français pour faciliter une plus ample diffusion ». Toutefois s'est posé à l'auteur le problème du mode de transcription du patois et du parler paysan : « En principe, je m'impose d'écrire le patois – en français – ou presque. Toutefois à l'occasion de cette pièce relativement importante et pour permettre aux artistes non patoisants de réaliser quand même parfaitement les personnages… je me suis appliqué à traduire le patois comme il se prononce sans toutefois renoncer à rester lisible et compréhensible. » (Désert, 1930 : 1) L'ensemble de son œuvre théâtrale comprend une soixantaine de pièces ayant donné lieu à des centaines de représentations de 1930 aux années 50 et à de multiples émissions radiophoniques. Le reste de l'œuvre est constitué d'un très intéressant recueil *Cauchoiseries* paru sans date avant guerre, composé de courtes pièces où les ruraux parlent en cauchois, de *paysanneries* ou *histouères en patois*, en vers ou en prose ; d'un roman *Pourri d'chance* (1935), dont Edmond Spalikowski souligne le mérite de n'être pas écrit en patois d'un bout à l'autre et de présenter la fine observation des mœurs campagnardes (1935, préface) ; de *Contes du Pays de Caux* (1939), pittoresques décrivant fidèlement l'esprit cauchois et mêlant français et patois.

Léo de Kerville (1872-1941), né à Lillebonne vécut, lui aussi, à Fécamp. Comptable puis représentant de commerce, il a circulé dans tout le Pays de Caux et n'a cessé d'être en contact avec les Cauchois. Attiré d'abord par la poésie, il commence dans son sixième ouvrage publié à introduire timidement, en 1924, une nouvelle en patois *La quiachonne*. A partir de là, chaque publication comportera une partie patoisante. *Pierre et Paul* (1926), *sorte d'Art d'être grand-père* écrit pour ses petits-fils, inclut trois nouvelles : *La sercelle, Le quiamandeux, L'usufritier*. Le court roman *Sur le trimard* (1929) en français, présente Célestin, un jeune révolté dont la fin sera tragique, c'est l'occasion pour Léo de Kerville de se montrer défenseur des bonnes vertus de la vie familiale. Le livre se termine par trois nouvelles et deux poèmes en cauchois dont *L'cawdé* qui célèbre la fin des moissons. *Brindilles cauchoises* (1932) et *Nos R.A.T.* (1934) comprennent de nombreux poèmes en cauchois dont voici un extrait de *Cheux nous* (1994) :

Ed' pis Rouen, jusqu'à la côte
Qui va du Hav' cheux lé Dieppois :
Çu Pays là, c'est à no z'autes,
C'est l'biau jardin des gars cauchois.

On ressent combien Léo de Kerville est attaché à ce parler : « J'emploie exclusivement le patois pour présenter les bons Cauchois ». C'est pourquoi on a pu considérer son œuvre comme un regard de tendresse sur le Pays de Caux. Voilà présenté ce très important héritage d'un corpus linguistique en cauchois publié depuis le XVIième siècle.

L'écriture : l'Université Rurale Cauchoise

L'Université Rurale Cauchoise s'inscrit dans cette tradition : recueillir et transmettre ce patrimoine linguistique. Dès sa fondation en 1984, Jean Hébert, instituteur rural s'est entouré d'un groupe composé de René Cottard, né en 1912, commerçant à Doudeville, comédien amateur dans la troupe de Raymond Mensire, Michel Cauchois, né en 1920, secrétaire de Mairie, Raymond Flamand, né en 1920, salarié de coopérative agricole, Constant Lecoeur, né en 1923, cultivateur et aussi député après la Libération, André Pruvel, né en 1906, instituteur rural, fils et petit-fils d'instituteurs. Le groupe se réunit depuis 1983 et pendant trois années, reprenant systématiquement tous les termes des lexiques cauchois parus à ce jour : *Le mémento du patois normand en usage dans le Pays de Caux* de A.G. De Fresnay (1885), *Le patois cauchois* de Raymond Mensire (1939), *Le nouveau dictionnaire cauchois* de Pascal Bouchard (1979), auxquels ils ont ajouté mots ou expressions rapportés par la mémoire de chacun des participants. Afin d'apporter des garanties scientifiques à l'entreprise, Jean-Baptiste Marcellesi Professeur à l'Université de Rouen délègue Gérard Lozay, auteur d'une Thèse de 3ème cycle consacrée à *L'analyse d'une situation linguistique en Pays de Caux, le canton de Yerville*. Le Professeur Gaston Canu de l'Université Sorbonne Nouvelle, Paris II, a contribué à la confection d'une graphie du cauchois et s'est chargé de la frappe du document. Le travail produit se présente sous la forme d'un lexique cauchois en cinq fascicules ronéotés (F.D.E.F.R., 1986) de près de six mille mots, comprenant la transcription phonétique, l'emploi dans une courte séquence parlée, elle-même enregistrée sur cassette-audio qui accompagne chaque fascicule. A cela s'ajoute un sixième fascicule intitulé *Présentation du dialecte cauchois* en deux parties : Phonétique et graphie du cauchois et Précis de morphosyntaxe cauchoise. La diffusion de ces fascicules n'aurait guère dépassé une centaine d'exemplaires. Le projet de l'U.R.C. (Université Rurale Cauchoise) est d'en préparer une réédition maniable et accessible.

Depuis les années 90, Gérard Lozay a créé et animé un atelier d'écriture jusqu'à son décès en août 2005. Membre de cet atelier depuis 2003, horsain d'origine beauceronne, quelque peu linguiste, j'en assure désormais l'animation. Cet atelier réunit mensuellement au Lycée agricole d'Yvetot, quinze à vingt patoisants. Aux séances, chacun apporte l'histoire qu'il a écrite, elle est relue en groupe et mots ou expressions font l'objet d'échanges ou de précisions. Il est possible aussi que l'histoire racontée soit enregistrée puis, ultérieurement, transcrite en groupe. Dés mon arrivée dans cet atelier, j'ai œuvré et insisté pour que soient réalisées systématiquement des traces sonores, reprenant par-là les recommandations des illustres prédécesseurs dialectologues de terrain. Non seulement cette pratique ne perturbe pas les intervenants, mais ils en ont très vite compris l'intérêt et demandent maintenant l'enregistrement de leur incomparable parole. L'enregistreur avec mini-disque répond parfaitement aux exigences de la précision sonore. Ainsi peuvent être fixées non seulement les variations subtiles sur les voyelles et surtout sur les diphtongues, mais aussi les intonations, les inflexions, les modulations...

Les textes produits à l'atelier représentent, à ce jour, un corpus de près de sept cents textes, récits, témoignages, histoires, en vers ou en prose. Tous ont été publiés dans un hebdomadaire d'Yvetot, le Courrier Cauchois, dans une rubrique au titre *Parlons cauchois*. Il paraît qu'environ dix à vingt pour cent des lecteurs y seraient attachés et que leur abonnement en dépendrait...

Quand un auteur présente à son actif une bonne centaine de textes, une parution en volume est réalisée. Ainsi D.D. du Trait, alias André Rouger, né à Cany, a déjà commis *Un Cauchois... cent histoires* (2000), *Des histoués oco...des histoires de Caux* (2005) ; Paul Noël, né à Veules les Roses, du haut de sa falaise, a offert au public *L'écrit des mouettes* (2002) ; Lucien Malot, né à Bolbec, va livrer au lecteur *L'taiseux d' Boulbé* en 2008.

Participant occasionnel de l'atelier, Thierry Coté dans un style très personnel a publié *Les calebaudes* en 1997, *Les Saints P'tits sous* en 1998, *La langue bien pondue* en 2000 et récemment *Machu d'pays, pays d'Machus* en 2007.

L'U.R.C poursuit ses recherches sur des textes publiés tel *La légende du Roi d'Yvetot et de Jeanneton sa servante*, en patois cauchois (Hollaender, 1921) et dont aucune information n'a pu être trouvée sur son auteur Henry Hollaender. Des découvertes restent à faire. Récemment, nous a été signalé Nathan Pilon (1886-1971) auteur d'une série de textes patoisants parus dans la presse locale dans l'entre-deux guerres. De même, nous avons pris connaissance d'Avit Cadinot (1919-2005) qui, dans les années 80 a publié ses récits pendant les mois d'été dans le Courrier cauchois, sous la signature de « Séverin ». Le père de ce dernier, porteur du même nom, créateur de la Fanfare d'Angerville-la-Martel (Seine-Maritime), a publié à Fécamp, une comédie en trois actes *La neuche à Caltot* (1946) et un recueil *Les aventures du Pé Avit* (s,d, circa 1947).

Par ailleurs l'U.R.C s'efforce de répondre aux demandes variées qui lui parviennent : animations dans les établissements scolaires, dans les villages, dans les manifestations locales, salon du livre normand…En décembre 2007, elle a participé à deux journées consacrées à la langue normande à Montfort-sur-Risle dans le département de l'Eure, ce qui a permis aussi d'établir des relations avec des associations du département de la Manche poursuivant des buts identiques.

Depuis 2004 un contact a été pris, par l'intermédiaire de Claire Fondet, avec Fabrice Jejcic, ingénieur de recherches au C.N.R.S. Il nous a permis d'assister en décembre 2007 aux travaux d'un séminaire consacré à la motivation graphique. Ainsi il nous a été à même de constater que les problèmes que nous posent la transcription du cauchois, se posent aussi aux États africains pour transcrire les langues vernaculaires et se posaient déjà aux copistes du Moyen-âge !

Enfin, l'U.R.C. porte aussi son intérêt au recueil des chansons et des danses cauchoises. Un travail est déjà en place avec l'Association La Loure. En 2004, deux journées ont été co-organisées et ont permis de réunir lors d'une veillée cent quatre-vingts participants. A cette occasion, plusieurs chansons en cauchois ont pu être collectées. Les recherches menées montrent que, de même que le corpus de littérature cauchoise est important, le nombre de chansons cauchoises collectées dépasse de loin celui d'autres territoires. Déjà, l'enquête Fortoul de 1852 faisait état de cent cinquante trois pièces pour le Pays de Caux. Les collectages initiés autour de Michel Colleu et effectués de 1974 à nos jours ont produit près d'un millier d'unités. Cependant, on ne peut que regretter que les textes en cauchois soient si peu nombreux.

En guise de conclusion

Le répertoire le plus complet possible de textes publiés depuis le XVIème siècle, présenté ici, témoigne de l'existence d'une littérature cauchoise trop mal connue. L'atelier d'écriture de l'Université Rurale Cauchoise favorise la poursuite d'une production dialectale qui contribue à mettre en évidence que « ...le cauchois est une langue vivante. » pour reprendre les mots de Thierry Bulot (2006 : 198). Ainsi, l'activité actuellement menée paraît légitimer la réalité d'une conscience linguistique cauchoise. Pour autant, il nous semble devoir aller plus loin encore et espérer un nouvel essor au cauchois. D'autres énergies pourraient se joindre à la nôtre et permettre que, dans l'avenir, la langue, la littérature, la culture cauchoise puissent être enseignées de l'école à l'Université. Plusieurs régions ont déjà développé ces enseignements. L'exemple du Languedoc nous fait rêver, à ce jour, 18 écoles, 2 collèges dispensent un enseignement bilingue occitan à des centaines d'élèves. C'est en accroissant le nombre de locuteurs qu'une langue est encore plus vivante...

Bibliographie

BENOIST G., 1933, *Les histouères de Thanase Péqueu, paysan normand*, Rouen, Imprimerie commerciale du Journal de Rouen, 232 pages.

BENOIST G., 1935, *Les histouères de Thanase Péqueu, paysan normand*, Rouen, Imprimerie commerciale du Journal de Rouen, 2ème Série, 264 pages.

BENOIST G., 1937, *Les histouères de Thanase Péqueu, paysan normand*, Rouen, Imprimerie commerciale du Journal de Rouen, 3ème Série, 296 pages.

BENOIST G., S.d. circa 1980, *Le marriage de Thanase Péqueu*, Yvetot, Société cauchoise de presse.

BOUCHARD P., 1979, *Nouveau dictionnaire cauchois*, Luneray, Imprimerie Bertout, 162 pages.

BOULEN C., 1906, *Voyage à travers la couleur locale*, Paris, En dépôt, Librairie Eugène Rey, 192 pages.

BOULEN C., 1921, *Sonnets pour la servante*, Paris, Dumont, librairie normande, 100 pages.

BULOT, 2006, *La langue vivante, (L'identité sociolinguistique des Cauchois)*, L'Harmattan, (Collection Espaces Discursifs), Paris, 223 pages.

CANEL A., 1889, *Le langage populaire en Normandie*, Pont Audemer, Imprimerie administrative de l'Hospice. Contient la Parabole de l'enfant prodigue, en patois de Lillebonne p.13.

COTÉ T., 1997, *Les Calebaudes*, Manneville-la-Goupil, Lithurge, éditions, 152 pages.

COTÉ T., 1998, *Les Saints P'tits Sous*, Manneville-la-Goupil, Lithurge, éditions, 134 pages.

COTÉ T., 2000, *La langue bien pondue*, Saint-Romain-de-Colbosc, Editions Gerpic, 124 pages.

COTÉ T., 2007, *Machu de pays, pays de Machus*, Saint-Romain-de-Colbosc, Editions Gerpic, 224 pages.

Coup d'œil purin (Le), 1773, A Tote, à Rouen. Publication clandestine, 84 pages.

D.D. du Trait, 2005, *Des histoués oco...des histoires de Caux*, Dieppe, Bertout,éditeur, 234 pages.

D.D. du Trait, 2000, *Un cauchois...cent histoires*, Dieppe, Bertout, éditeur, 222 pages.

DAUZAT A., 1927, *Les patois*, Paris, Libraire Delagrave, 208 pages.

DE FRESNAY A.G, 1885, *Mémento du Patois Normand en usage dans le Pays de Caux*. Nouvelle édition, Rouen, Charles Métérie, libraire, 330 pages.

DELESQUES P., 1912, *Récits cauchois du Pé Malandrin*, Caen, Henri Delesques. Imprimeur- éditeur, 192 pages.

DEMONGÉ G., 1917, *Aux gars de Normandie, poésies, contes, silhouettes*, Fécamp, L. Durand et fils, imprimeurs-éditeurs, 256 pages.

DEMONGÉ G., 1925, *La faux, deux actes en Pays de Caux*, Fécamp, L. Durand et fils, imprimeurs- éditeurs, 86 pages.

DEMONGÉ G., 1925, *Les terreux par Maît' Arsène*, Fécamp, L. Durand et fils, éditeurs, 248 pages.

DÉSERT C.-R., 1935, *Pourri d'chance, roman*. Préface d'Edmond Spalikowski, Rouen, Maugard, 272 pages.

DÉSERT C.-R., 1936, *L'invitation. Pièce rustique en un acte*, Rouen, Editions Maugard, 30 pages.

DÉSERT C.-R., 1939, *Contes du Pays de Caux*, Rouen, Maugard, 172 pages.

DÉSERT C.-R., 1972, *La rue d'enfer. (heurs et malheurs d'un petit paysan de 1900) Saussemare en Caux*, Condé sur Noireau, Imprimerie Charles Corlet, 124 pages.

DÉSERT C.-R., 1975, *Le théâtre classique des champs. Plaquette*, Maromme, Imprimerie Féré, 36 pages.

DÉSERT C.-R., S.d. (avant guerre ?), *Cauchoiseries. Scènes de la vie rurale au Pays de Caux*, Fécamp, Imprimerie du Mémorial Cauchois, 66 pages.

DÉSERT C.-R., S.d. (circa 1926) *La famille Graillot. Pièce cauchoise en trois actes*, Fécamp, Imprimeries L. Durand et fils, 32 pages.

DÉSERT C.-R., S.d. (circa 1930), *R'fée sa vie. Pièce cauchoise en trois actes*, Fécamp, Imprimerie du Mémorial cauchois.

DRAGON-LEFÈBVRE J., 1994, *Mon grand-père Léo de Kerville*, Yvetot, Imprimerie nouvelle, 180 pages.

Farce des Quiolards (La), 1881, 3ème édition. Avec introduction et dix eaux-fortes de Jules Adeline, Rouen, Librairie Augé, 64 pages.

Fédération départementale des Foyers ruraux (FDEFR), 1986 ?, *Lexique cauchois en cinq fascicules ronéotés avec cinq cassettes-*

audio, suivi de Présentation du dialecte cauchois (Phonétique, morphosyntaxe) en un fascicule ronéoté avec cassette-audio.

FERRAND D., 1655, *Inventaire général de la Muse Normande, divisée en XXVIII parties*, A Rouen, chez l'autheur, rue du bec, à l'Enseigne de l'Imprimerie, 484 pages.

FERRAND D., 1891, *La Muse Normande de David Ferrand*. Publiée d'après les livres originaux, 1625-1653 et l'Inventaire général de 1655 ; avec introduction, notes et glossaire par A. Héron. Cinq volumes. Société Rouennaise des Bibliophiles, CXX-270 pages ; 432 pages ; 496 pages ; 406 pages ; 272 pages.

Fricassée Crotestyllonnée (La), 1878, Avec une préface de Prosper Blanchemain, Paris, Jouaust, Librairie des Bibliophiles, 164 pages.

GUERLIN DE GUER C., 1896, *Le patois normand. Introduction à l'étude des parlers de Normandie*. Caen, E. Lanier, Paris, H. Champion, 76 pages.

HOLLAENDER H., 1921, *La légende du Roi d'Yvetot de Jeanneton sa servante. En patois cauchois*, Yvetot, imprimerie Bretteville ; Rouen, Defontaine, 80 pages.

HOULIÈRE Abbé A.S., 1887, *Poésies d'un curé de village*. 2ème édition, Rouen, Espérance Cagniard, imprimeur, 84 pages.

KERVILLE L. de, 1924, *Le mariage de Grassouillet, suivi de La quiachonne*, Fécamp, L. Durand et fils, imprimeurs, 96 pages.

KERVILLE L. de, 1926, *Pour Pierre et Paul*. Préface de G. Normandy, Fécamp, Imprimerie Toutain, 160 pages.

KERVILLE L. de, 1929, *Sur le trimard*, roman. Préface de Jehan Le Povremoyne, Fécamp, L. Durand et fils, imprimeurs, 182 pages.

KERVILLE L. de, 1934, *Nos R.A.T. Récits anecdotiques suivis de Paysanneries*, Fécamp, L. Durand et fils, imprimeurs, 186 pages.

LAMBERT J., 1931, *Les aventures du Pé Lambert*, Le Havre, Les éditions françaises, 212 pages.

LE POVREMOYNE J., 1926, *Mon Curé*, Le Havre, Le Havre-Eclair pour compte de l'auteur, 184 pages.

LE POVREMOYNE J., 1929, *Les noces diaboliques*, Paris, La renaissance du livre, 256 pages.

LE POVREMOYNE J., 1936, *Aux pieds des Saints Cauchois*, Rouen, Henri Defontaine, 134 pages.

LECHANTEUR F., 1984, *La littérature patoisante*, Brionne, G. Monfort, 146 pages.

LEPELLEY R., 1977, *La Normandie dialectale*. Document universitaire. Université de Caen, 49 pages.

LEPELLEY R., 1999, *La Normandie dialectale*, Caen, Office universitaire d'études normandes. Université de Caen, 89 pages.

MALOT L., 2008, *L' taiseux d' Boulbé. Chroniques cauchoises*, Fontaine le bourg, Le Pucheux (à paraître).

MENSIRE R., 1933, *Les êtres de chez nous*, Yvetôt, Abeille cauchoise, 154 pages.

MENSIRE R., 1933, *Gestes, dits et écrits de Maît' Firmin Cauchois*, Yvetot, Abeille cauchoise, 232 pages.

MENSIRE R., 1939, *Le patois cauchois*, Rouen, Editions Defontaine, 144 pages.

MENSIRE R., 1939, *Les contes du Fil-en-six*, Rouen, Defontaine.

MENSIRE R., 1942, *Œuf de coucou, roman*. Rouen . H. Defontaine, 272 pages.

MONTIER E., s.d., *Le Pé Claude. Contes normands*. Editions Defontaine, 168 pages.

MOREL E., 1913, *Les idées de Magloire*, avec quinze dessins de l'auteur, Rouen, Tiré pour la Dépêche de Rouen, 164 pages.

NICOLLET A., 2004, « Gaston Demongé, un écrivain du Pays de Caux » dans CAHIERS HAVRAIS DE RECHERCHE HISTORIQUE 62, pp.50-63.

NICOLLET A., 2004, « Jehan Le Povremoyne » dans BULLETIN DE MONTIVILLIERS, HIER, AUJOURD'HUI, DEMAIN 12, pp.54-76.

NODIER C., 1834, *Notions élémentaires de linguistique ou histoire abrégée de la parole et de l'écriture pour servir d'introduction à l'alphabet, à la grammaire et au dictionnaire*, Paris, Librairie d'Eugène Renduel, 310 pages.

NOËL B., 1974. *Les contes de la Mélie*, Dieppe, Les éditions de la Vigie, 128 pages.

NOËL P., 2002, *L'écrit des Mouettes*, Dieppe, Bertout, éditeur, 184 pages.

PETIT L., 1853, *La Muse Normande, en patois normand*. Publiée par Alphonse Chassant, Rouen, A. Le Brument, libraire- éditeur, 44 pages.

POP S., 1950, *La dialectologie. Tome I La dialectologie romane.* A Louvain, chez l'auteur ; à Gembloux, J. Duculot, 736 pages.

POULAIN C., 1987, *La tournée de l'oncle Prosper en Pays de Caux*, Dieppe, Imprimerie Sitecmo. En dépôt à l'I.R.E.D. Mont-Saint-Aignan, 96 pages.

REVUE LE PUCHEUX. Fontaine le bourg. n°59. Saint André 1996. Le conteur cauchois Marceau Rieul, pp.9-13.

REVUE LE PUCHEUX. Fontaine le bourg. n°72. Saints Innocents 2000. Gaston Demongé. Poète et écrivain cauchois, pp.5-8.

REVUE LE PUCHEUX. Fontaine le bourg. n°81. Saint Michel 2003. Jehan Le Povremoyne. Ecrivain cauchois, pp.4-11.

RIEUL M., 1965, *Arseine Toupétit, ses meilleues histouées cauchoises*, Le Havre, Imprimerie de la Presse, 100 pages.

CHAPITRE 7

JE BUSOQUE, TU NIVELOTES, IL BOUINE,… LECTURE DE LA CARTE *ALN* 1219 'BRICOLER'[1]

Introduction

La publication du quatrième tome de l'atlas normand (désormais *ALN*), prévue pour 2009, complètera la série des cartes lexicales programmées initialement. Sa consultation peut aujourd'hui dérouter certains lecteurs en raison de l'utilisation de l'alphabet phonétique des dialectologues français, après Rousselot et Gilliéron. Ce système de transcription, qui offre une continuité avec les autres atlas régionaux français et l'*ALF*, précède de plus de 50 ans l'alphabet de l'Association phonétique internationale [API], instauré par des linguistes anglophones – de ce fait, sans doute, autoproclamé "international" – et particulièrement mal adapté aux besoins d'une transcription impressionniste (de terrain) des dialectes français. Il n'est pas nécessaire d'épiloguer sur ce sujet. Répétons simplement que l'utilisation de l'alphabet phonétique de l'*ALF* n'est ni une perversion ni une coquetterie, mais une nécessité. Cela étant, le propos de cet article n'étant pas phonétique mais lexicographique, les données seront transcodées dans le système graphique du français.

Les atlas affichent une variation due à plusieurs facteurs attribuables à la synchronie autant qu'à la diachronie. C'est qu'ils rendent compte d'une réalité de terrain, obstinée dans son désordre, voire parfois dans ses contradictions. Cette complexité faisant appel à des schémas explicatifs divers, contribue aussi à en détourner nombre de linguistes. La géographie linguistique trouve, de ce fait, aujourd'hui peu de zélateurs parmi les « professionnels ». D'un autre côté, aux

---

[1] Patrice Brasseur, Université d'Avignon, ICTT- EA 4277 (France).

yeux des régionalistes, elle paraît un obstacle à l'unité fonctionnelle de la langue, à son enseignement, alors qu'elle ne fait que témoigner de sa richesse. C'est qu'ici, aucun normalisateur n'est venu imposer sa loi. Les strates se superposent volontiers et aucune hiérarchie ni contrainte externe ne vient régir l'usage des locuteurs. Le respect du terrain est évidemment un préalable à une telle enquête qui contrarie les militants de tous poils dans leurs a priori.

Dans le cadre modeste de cette contribution, mon propos visera, à travers l'exemple de la carte 1219 'bricoler' (à paraître), à mettre à jour de manière élémentaire quelques ressorts explicatifs intrinsèques. Étant donné les formats respectifs de l'*ALN* et de cette publication, je me heurte à un problème de présentation des données que je propose de résoudre en référant le lecteur aux jours prochains de la publication de cette carte ou, dès maintenant, à sa consultation sur le site http://www.univ-avignon.fr/fr/recherche/annuaire-chercheurs/membrestruc/personnel/brasseur-patrice.html (rubrique « thème(s) de recherche »), où elle peut être téléchargée en .pdf. À partir des ces données de base, que le lecteur pourra ainsi contrôler, je proposerai une série de cartes analytiques qui dégagent chaque type lexical de l'ensemble.

Bien sûr, nous savons que les synonymes parfaits n'existent guère. Les lexèmes recueillis peuvent ici, plus qu'ailleurs, sans véritables références autres que celles des locuteurs eux-mêmes, receler des nuances non explicitées et que seule une longue pratique de terrain ou la conscience linguistique d'un locuteur natif pourraient révéler. Une telle connaissance du terrain est cependant un leurre, car le chercheur est partout un étranger et les locuteurs natifs sont rarement des linguistes. Je ne peux donc pas affirmer, par exemple, que *foutiner* et *foutimasser*, employés non concurremment dans des points d'enquêtes différents, sont véritablement synonymes. Cette certitude est encore moindre pour des lexèmes employés dans les mêmes points d'enquêtes quoique, d'ailleurs, à des degrés divers selon les locuteurs locaux. Disons que *bricoler* doit s'entendre ici comme 's'occuper à de menus travaux, de peu de profit' et que les mots qui dénomment cette activité sont le plus souvent péjoratifs, comme le montrent le plus souvent leur étymologie et leurs emplois.

La plupart des mots recueillis sont aujourd'hui obscurs aux yeux des locuteurs, parce que totalement dépourvus de motivation en synchronie, et souvent polysémiques. Plusieurs aspects méritent notre attention : la répartition de ces lexèmes dans l'espace dialectal normand, les rapports qu'ils entretiennent entre eux et l'évolution de leur sémantisme. Plutôt que d'opérer un classement étymologique, nous avons choisi de les considérer du point de vue de leur extension géographique en Normandie. Nous distinguerons ainsi les mots qui couvrent un vaste espace ou qui apparaissent selon des aires compactes de ceux qui ne sont attestés que localement, que ces isolats représentent ou non les buttes-témoins de lexèmes autrefois largement plus répandus.

Les mots de grande extension

Busoquer, *un mot proprement normand. Carte n° 1.*

Ce mot est un dérivé de *buse*, qui a pris dès le moyen français le sens de 'personne sotte' (*FEW* 1, 655b BUTEO). *Buser* est bien attesté pour 'flâner, perdre son temps' dans le Lieuvin et le Pays d'Ouche (*ALN* 1196, points 70, 71, 77). Le dérivé *busoquer* couvre massivement[2] les deux tiers de la Normandie, et le *FEW* ne le donne nulle part ailleurs. Au point 31 du Bocage virois, le mot est attesté pour 'rester à ne rien faire (naisement)' (*ALN* 1195). La variante *busoter*, qui se trouve ici et là en limite sud et est de l'aire, possède une attestation supplémentaire dans la carte *ALN* 1196 au point 77. Elle a aussi été enregistrée en pays gallo, en Ille-et-Vilaine, à Dol et Pléchâtel (*FEW, ibid.*). En Normandie, elle pourrait être due à un changement de suffixe, la valeur diminutive de *-oter* étant bien attestée dans la langue familière. Les formes de ce type, avec l'emploi 'bricoler' ne manquent d'ailleurs pas dans

---

[2] Au point 31 il signifie non pas 'bricoler' mais 'rester à ne rien faire, niaisement' (carte *ALN* 1195).

l'espace normand : *digoter, foutoter, musoter, nigeoter, nigoter, niboter, nipoter, niveloter, nunoter.* Elle pourrait aussi avoir été influencée par *musoter* (v. *infra*).

L'emploi de *busoquer* dépasse le cadre du dialecte et a été enregistré comme un régionalisme (Lepelley 1989 : 37a-b 's'occuper à de petits travaux' [Manche, Calvados, ouest de l'Orne] ; Brasseur 1990 : 39b 'effectuer des travaux, s'occuper à des riens').

On observera au passage le parallélisme entre les verbes mfr.[3] *buser* 'tromper' (*FEW* 1, 655b BUTEO), qui est bien attesté pour 'flâner, perdre son temps' dans le Lieuvin et le Pays d'Ouche (*ALN* 1196, points 70, 71, 77) et *abuser* 'tromper' (*FEW* 24, 61b ABUSUS) / *s'abuser* 'perdre son temps, etc. (*FEW ibid., ALN* 1196, points 3, 4, 5, 7, 8, 13). *Amuser* a subi également la même évolution.

Niveler/niveloter. *Carte n° 2.*

Niveler 'hésiter' est attesté en mfr. ; il est aussi enregistré aux 17ième-18ième siècles pour 'vétiller, s'amuser à des riens' et dans les parlers normands pour 'perdre son temps à des riens' (*FEW* 5, 295b LIBELLA). Le dérivé *niveloter*, dont l'emploi est similaire, est également bien attesté (*ibid.,* 295b). *Nivelasser*, isolé au point 30 dans les données de l'*ALN*, en est issu par changement de suffixe. *Nivenoter*, également isolé (point 55), est formé par assimilation progressive de l'initiale [n] de *niveloter*. Quant à *livetoner*, il s'agit d'une évolution de *nivetoner*, dérivé du mfr. *niveter* 'perdre son temps à faire des bagatelles', attesté en Bas-Maine pour 'perdre son temps en niaiseries' (*ibid.*), selon un processus inverse de dissimilation, sans doute facilité par la proximité phonétique de *niveloter*, verbe formé des mêmes phonèmes.

Niveloter possède aujourd'hui une aire discontinue qui s'étend du Pays de Bray au Cotentin et atteint même les Îles anglo-normandes de Jersey et Sercq, ce qui tend à prouver son ancienneté dans le domaine normand.

---

[3] Abréviation utilisée par le *FEW* pour « moyen français ».

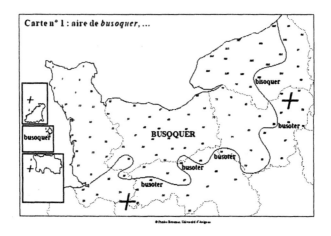

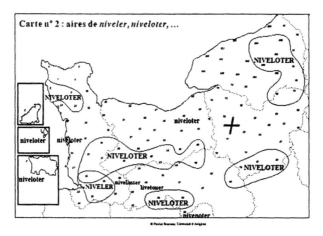

Le type nigeoner/nigeoter/nigetoner. Carte n°3

Les différentes formes recueillies en Normandie sont dérivées du mfr. *niger* 'agir en niais' (*FEW* 7, 118a *NIDICARE). On en trouvera dans le *FEW* toute une série d'attestations dans les parlers du nord-ouest. *Nigeoner* est dérivé de *nigeon* 'lambin' (*ALN* 1221), 'nigaud' ou 'minutieux' (*FEW*, 118a). De même *nigeoter* est issu de *nigeot* 'nigaud' (*FEW ibid.*, 118b : *nijot*). Le consonantisme de *nigoner*, comme celui de *nigoter*, est sans doute attiré par *nigaud*, d'un côté, par *digonner* de l'autre, puisque les deux mots sont présents dans la même aire avec l'emploi 'fouiller à l'aide d'un bâton' (*ALN* 977 *nigoner* : points 75, 76, 80). *Nigetoner*, isolé au point 67, dérive de *nigeton*, au sens de 'qui s'amuse d'un rien' dans le Bas-Maine (*FEW ibid.*, 118b) ; il est cependant attesté en Eure-et-Loir (*ibid.*) et possède, lui aussi, un correspondant avec consonne [g] : *niguetoner*, aux points 18 et 19. Enfin, pour *mugeoter*, forme isolée au point 107 nous envisageons plutôt une évolution phonétique de *nigeoter* à *mugeoter* (passage de [n] à [m] et arrondissement de la voyelle [i] derrière nasale) plutôt qu'un rapprochement semblable à celui que suggère *FEW* 7, 119a, n.18 entre les verbes *nijotter* 's'amuser à des riens' et 'mettre des fruits en réserve' (16, 586b *MUSGAUDA), pour lequel les formes régionales sont *migeoter, mugoter* (*ALN* 244* '(on laisse les pommes) mûrir (au fruitier)'). Une collusion avec *musoter* (v. carte n°6), verbe également très proche phonétiquement, n'est pas étayée, car cette forme n'est attestée que dans le sud de l'Orne.

Les aires de ces mots sont discontinues et s'étendent sur les régions du sud de la Manche ainsi que dans l'Orne et l'Eure.

Les mots de diffusion restreinte possédant des aires compactes

Bouiner

L'étymologie de *bouiner* 'travailler à des riens' est obscure (*FEW* 22/1, 105b). Selon *DRF* 141, le mot est « peut-être à mettre en rapport avec *besiner/bousiner* d'origine inconnue (*FEW* 22/1, 111a-b 'lambiner, lambin') ». Selon J.-P. Chauveau (comm. pers.), ce rapprochement est pertinent, car les données du type *besiner* doivent être très probablement rattachées aux exemples du même type lexical qui sont classés sous */bisôn/ (*FEW* 15/1, 120a). On peut y comparer Bonneval *vesiner* 's'occuper à des vétilles' (*FEW* 14, 675a, /ves-/) qui est plus répandu que cette unique citation par le *FEW*. Sous ce dernier étymon, est aussi enregistré Bray *vesonner* 'remuer beaucoup et faire peu de besogne', etc. et bmanc. *veuzonner* 'bourdonner, résonner', etc. (*FEW* 14, 675a). Dans ces différents exemples le fait de perdre son temps est comparé à l'agitation et au bourdonnement des mouches. *Bouiner* pourrait ainsi être mis en rapport avec poit. *bouine* 'hippobosque du cheval' (*FEW* 1, 476b BOVINUS). Cette hypothèse impliquerait que *bouine* ait été plus largement répandu que dans le sud-ouest d'oïl, ce qui, du point de vue phonétique, peut être confirmé par l'extension de *couer* 'couver', *cue* 'cuve', etc. (J.-P. Chauveau, comm. pers.)

L'aire de ce lexème est, en fait, plus large que ce qui paraît sur la carte n°4 ; en effet, *bouiner* a connu des extensions d'emploi comme 'rafistoler, raccommoder grossièrement' (*ALN* 1080, point 40) – plus courant sous la forme des dérivés *rebouiner* (point 17 et *rabouiner* (points 18, 20, 21, 29, 41, 54, 56)[4] –, 'fouiller à l'aide d'un bâton' (*ALN* 977 points 19, 52), '(faire) saillir (la lapine)' (*ALN* 751*, points 50, 56) et 'faire l'amour' (*ALN* 1127*, points 14, 56).

Lepelley (1989 : 32b) enregistre le mot comme un régionalisme pour 'faire' en indiquant qu'il « n'existe que dans l'expression : *Qu'est-ce que tu bouines* ? "qu'est-ce que tu fais ?" ».

Digonner[5]

Il s'agit d'un dérivé de *diguer* 'piquer', qui est aussi celui que donne Cotgrave (1611). De là, 'piquer continuellement[6], puis au sens figuré 'taquiner', 'grommeler', 'radoter' (*FEW* 3, 74a-b *DIG-*). Ces emplois sont largement attestés, mais leur aire de répartition en Normandie est complexe, comme le montre la carte n° 7. On remarquera par ailleurs que les aires de *digonner* (carte 5) et *nigoner* (carte 3), au même sens, sont

---

[4] *Rabouiner* est aussi employé dans le Pays de Caux (points 110, 111, 113, 114) pour 'radoter, rabâcher' (*ALN* 1255).

[5] La variante cauchoise (points 110, 114) *tigonner*, qui n'est pas signalée par le *FEW*, n'a été notée que pour 'faire enrager, agacer' (*ALN* 1251) ; l'initiale sourde y est peut-être influencée par *tisonner*, qui entretient un rapport sémantique étroit avec ce mot. Notons également qu'une autre variante, *digouenner* (point 84), ne se dit que pour 'fouiller à l'aide d'un bâton' (*ALN* 977).

[6] Voir, par exemple, le dérivé *digonneux* 'tisonnier' (*ALN* 973*, points 110, 112, 113).

contiguës. Ceci illustre une fois de plus l'interdépendance des aires lexicales, même si les deux mots n'ont aucun rapport étymologique. Dans la même zone, coexistent d'ailleurs également les formations parallèles *digousser* au point 84 et *nigousser* aux points 75 et 80 pour 'fouiller à l'aide d'un bâton (*ALN* 977).

Foutimasser

Foutimasser est plutôt marginal dans cet emploi en Normandie, puisqu'il n'occupe qu'une aire réduite à 5 points au voisinage du Perche. Il appartient aussi à la langue populaire parisienne pour 'faire quelque chose avec nonchalance, agir lentement' (*FEW* 3, 926a FUTUERE) et a été relevé dans les dialectes dans de nombreuses acceptions péjoratives (*ibid.*). Lepelley (1989 : 73a)) enregistre ce mot comme un régionalisme (centre et est de l'Orne), avec l'emploi 's'occuper de menus détails qui ne mènent à rien'.

Foutiner

Ce verbe est attesté chez Nisard, qui l'a recueilli dans la langue populaire de Paris, pour 's'amuser à des bagatelles' (*FEW* 3, 926a FUTUERE). On ne le trouve guère ailleurs qu'en Haute-Normandie pour 'faire peu de choses, perdre son temps à des riens', 's'agiter bruyamment pour faire peu de besogne' (*FEW, ibid.*), 'bricoler' (*ALN* 1219) ou encore 'fouiller' (point 63, *ALN* 1214*). Lepelley (1989) enregistre ce mot (centre et est de l'Orne, est du Calvados) comme un synonyme de *foutiner*.

Quelques dérivés ont aussi été notés dans les enquêtes de l'atlas : *foutin*[7] (points 83, 111, 112), *foutinier*[8] (points 74, 82, 89, 114) ou *foutinette* (point 114) pour une 'personne qui bricole' (*ALN* 1219*), ou différentes boissons coupées d'eau-

---

[7] Au point 76 *foutin* désigne un 'homme qui travaille minutieusement' (*ALN* 1224*) et aux points 92 et 112 un 'homme efféminé, qui s'occupe à des tâches ménagères' (*ALN* 1282).

[8] Aux points 70, 78 et 108 *foutinier* désigne un 'homme efféminé, qui s'occupe à des tâches ménagères' (*ALN* 1282).

de-vie (*ALN* 287*, 288*), *foutinage* (point 85) pour 'bricolage' (*ALN* 1219*).

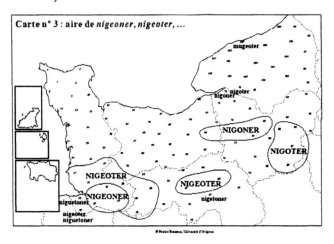

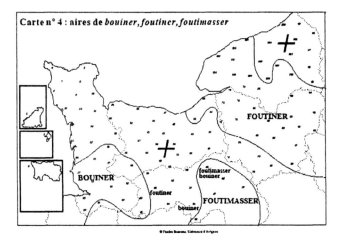

Potiner

Ce mot, vieux en français pour 'cancaner', est bien attesté en Normandie dans ce sens. On note une extension à 'rabâcher' dans le Lieuvin (*FEW* 9, 265b POTTUS) et c'est sans doute de là qu'est issu l'emploi 'bricoler' de ce verbe. Le travail minutieux, répétitif est assimilé métaphoriquement à du rabâchage.

On remarquera que l'aire *nipoter*, limitée à deux points (80 et 88) borde l'aire de *potiner*. Cette proximité, géographique et phonétique – comme dans le cas de *livetoner/niveloter* – contribue certainement au maintien d'un mot rare, que nous rattachons à *FEW* 9, 253a POTENS. Le verbe *nipoter*, qui apparaît sous la forme *niboter* au point 31 est à l'origine de l'angevin *nipotin* 'homme de rien' (*ibid.*). La forme *niboter* a été recueillie concurremment avec *niveloter* dans ce point et, pour oser une hypothèse hardie, la sonorisation du [p] originel est peut-être due à l'attraction de l'initiale [ni] + consonne sonore de ce dernier mot.

Tatasser

Le mot possède une aire qui couvre en Normandie l'extrémité septentrionale du Pays de Caux, le Petit Caux et le Bray picard, en limite de la Picardie, dérive du picard *tatasse* 'tâtillon' (*ibid.* 141b). La variante *titisser*, notée au point 101 pourrait être issue d'un croisement avec *tatisse* 'tâtillon', relevé notamment dans la Somme voisine (*ibid.*). *Titisse* 'homme qui s'occupe des travaux incombant aux femmes' a, par ailleurs, été relevé à Metz (*FEW* 13/1, 355a *TIT-).

Les mots isolés

Dans les Îles anglo-normandes

Bousillonner a été recueilli à Sercq. Il est dérivé de *bousiller*, verbe attesté en français 'faire mal (un travail)' et dans les parlers dialectaux, notamment de l'Ille-et-Vilaine, pour 'faire un travail inutile, le faire sans soin' (*FEW* 1, 474b *BOVACEA) et au point 98, ALN 1080 'rafistoler, raccommoder grossièrement'.

Digoter, comme *digonner*, est un dérivé de *diguer*, qui a été noté dans l'*ALN* à Jersey, pour 'fouiller avec un bâton', 'agacer, taquiner' et 'bricoler'. Le Maistre le relève également dans ces emplois. Dans les parlers normands, cette forme n'est attestée qu'à Jersey ; on la trouve cependant dans le Centre (Blois 'grommeler, murmurer (contre quelqu'un), radoter ; berr. 'récriminer', etc. (*FEW* 3, 74b *DIG-).

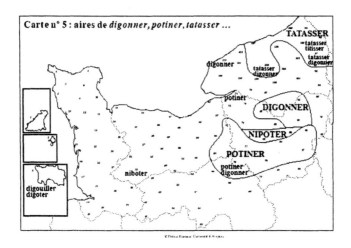

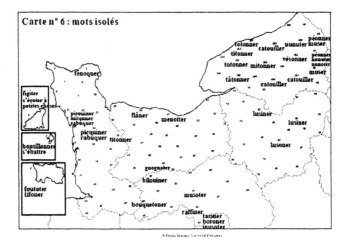

Digouiller, que les enquêtes de l'*ALN* ont enregistré à Jersey avec l'emploi 'bricoler' dans la paroisse de Saint-Martin, a été enregistré par les lexicographes locaux pour 'remuer, fouiller (minutieusement)'. Le Maistre (1966 : 168a, *s. v. digouôilli*) considère cette forme comme appartenant aux parlers de l'est de l'île, ce qui concorde avec nos observations. C'est aussi 'fouiller à l'aide d'un bâton' (*ALN* 977) aux points 5, 12, 13, dans le nord de la Manche[9]. Le suffixe *-ouiller* prend ici sa pleine valeur dépréciative.

S'ébattre a aussi été noté à Jersey, notamment pour 'gesticuler' (Le Maistre, 1966 : 181b). Mais on peut aussi considérer qu'il s'agit simplement de l'emploi du mot français, le bricolage étant envisagé comme un divertissement.

S'écoter à petites choses (ou *petit de choses*) n'est pas donné par Marie de Garis. Les enquêtes de l'*ALN* n'ont enregistré cette locution qu'auprès d'un couple de locuteurs de la paroisse de Torteval. Le verbe *écoter* 'se cotiser (en vue d'un festin)' a cependant été relevé à Jersey (*FEW* 17, 130b *SKOT ; Le Maistre). S'il faut risquer une hypothèse, la locution guernesiaise pourrait signifier 'contribuer à peu de choses'.

Figiter a été recueilli à Guernesey, dans la paroisse déjà très anglicisée du Vale. Marie De Garis – qui est de peu de secours d'une manière générale – ignore ce verbe, qui ne figure pas non plus dans le dictionnaire de Le Maistre. *Figiter* reste obscur à nos yeux. Il pourrait s'agir d'une déformation de *visiter*, que Le Maistre (1966 : 545b) glose 'inspecter'. Reconnaissons cependant que cette explication est peu convaincante.

Foutoter, relevé à Jersey et également enregistré par Le Maistre, est un dérivé de *foutre*, à ajouter à *FEW* 3, 926 FUTUERE.

Pour *tifonner*, relevé à Jersey, Le Maistre donne aussi la variante *tibonner*, avec l'emploi 'besogner légèrement'. *FEW* 17, 332b *TIPFÔN donne bmanc. *atifoné* 'parer avec recherche', tandis que Yèr. *tiponner* 'toucher à tout, déranger tout ; faire qch avec lenteur' est classé sous *FEW* 18, 124a *TIP.

Dans la moitié nord de la Manche et du Calvados

Fénoquer est en attestation unique dans nos données de l'*ALN*. Nous le rapprochons de norm. *frénailler* 'remuer des objets avec bruit, fouiller' ou Lisieux *fournaquer* 'remuer en

---

[9] Le dérivé *digouillet* 'couteau qui coupe mal' est enregistré au point 110, dans le Pays de Caux (*ALN* 1015).

désordre et avec un bruit importun', etc. (*FEW* 3, 907a-b FURNUS), le [é] long permettant d'envisager la chute d'un [r] en position implosive, usuelle dans les parlers de cette région.

Flâner. L'emploi 'bricoler' n'est attesté que dans un point du Bessin proche de la Plaine de Caen. Guerlin de Guer avait enregistré 'fainéanter' (selon *FEW* 15/2, 135b FLANA).

Menotter est donné pour 'palper' au Havre (*FEW* 6/1, 288b MANUS).

Picouiner se dit dans deux points voisins du Cotentin. Nous ne l'avons pas trouvé sous *FEW* 8, 450a *sqq* *PIKKARE, où il devrait figurer de toute évidence en 458b.

Rabûquer

Le mot figure dans la *Muse normande* pour 'repousser violemment' ; il a été enregistré dans les glossaires du Bessin pour 'remuer' et dans le nord de la Manche pour 'bouleverser', etc. (*FEW* 15/2, 28a *BUSK-). Les enquêtes de l'*ALN* le relèvent aussi pour 'fouiller avec un bâton' (carte 977) dans une aire plus vaste qui s'étend à la moitié nord de la Manche et une grand partie du Calvados et métaphoriquement pour 'radoter, rabâcher' (*ALN* 1255, aux points 14 et 15). L'emploi 'bricoler' apparaît comme une spécialisation, restreinte aux points 12 et 24. Lepelley (1989 : 120a) enregistre *rabuquer* comme un régionalisme employé dans le nord de la Manche et attesté dans le Calvados pour 'vaquer à des menues occupations en faisant du bruit'.

Dans le sud de la Manche et du Calvados et dans l'Orne

Bilouiner qui a été noté au point 39 pour 'bricoler' ou 'flâner perdre son temps' est aussi attesté dans ce deuxième sens au point 43 où il dérive de *bilouin* 'lambin' (*ALN* 1221). On notera par ailleurs le mot *bédouin* au même sens au point 19.

Boroner est à rapprocher de *buroner* 'flâner, perdre son temps' (*ALN* 1196, point 20) et *bulonne* 'surnom d'un flâneur' (*ALN* 1196*, point 51).

Bouquetonner FEW 22/1, 108b 's'occuper à des riens' donne norm. *bouqueçonner* 'faire sans soin des choses sans importance'. Il pourrait s'agir d'un croisement avec *niquetoner*.

Gnognoter est un dérivé de *gnognote*, mot familier en français, qui est également attesté dans les dialectes (*FEW* 7, 114a *NIDAX). *Gnognoter* c'est faire des choses sans importance.

Musoter. Ce dérivé de *muser* a été enregistré par bon nombre de glossaires dialectaux normands pour 'perdre son temps à des riens' (*FEW* 6/2, 280a MUSUS), mais il n'a été recueilli lors des enquêtes de l'*ALN* pour 'bricoler' que dans deux points du centre et du sud de l'Orne, au voisinage de *busoter* (dont les attestations sont situées à la périphérie de la vaste aire *busoquer*). Il est clair que ce que nous avons dit pour le couple *buser/muser* vaut également pour *busoter/musoter*.

Raffiner. Il s'agit d'une extension d'emploi du français, bricoler pouvant être rapporté à *fignoler*.

Tarigner a aussi été noté sous la forme *tariner* pour 'flâner, perdre son temps' (*ALN* 1196) au même point 55. Ce verbe est localisé dans le Perche, le Bas-Maine et l'Anjou (*FEW* 13/1, 120a TARDUS), avec l'emploi 'tarder, s'amuser', etc. L'attestation bas-normande se situe à la périphérie septentrionale de son aire.

En Haute-Normandie

Catouiller se trouve dans une aire limitée à trois points, en périphérie du Pays de Caux. Il s'agit de la forme locale de *chatouiller*. Cette évolution locale (Ø *FEW* 2, 510a *sqq.* KAT-Ł) est en rapport avec *catouille*, également dans le Pays de Caux, pour 'douillet' (adj.) (*ALN* 1165 point 108, 111), 'homme efféminé, qui s'occupe à des tâches ménagères' (*ALN* 1282, points 104 et 109), emplois clairement connotés avec l'absence de virilité. Les tâches ménagères, qui n'exigent pas de force physique, sont traditionnellement des travaux féminins. Quant à l'emploi 'maniaque' (adj.) (*ALN* 1224* '(travail) soigné', point 111), il est en rapport direct avec le bricolage, qui exige de la minutie et peut être considéré comme un goût exagéré de la perfection.

La carte 1282 montre bien l'assimilation du bricolage à un travail d'homme efféminé (à connotation clairement homosexuelle, dans les enquêtes). On y trouve, en effet, les noms *bouinoux* (18), *gnognot* (26), *titonnier* (25), *titon* (112), *nivelassier* (39), *niveton* (42, 56), *boronier* (55), *foutinier* (70, 78, 109), *foutin* (92, 112), *nipote* (88), *tatasse* (96 à 101, 106), *titisse* (99), *nunutier* (98), *totonnier* (111, 112), *toton* (112) *tâtonnier* (109), *tâtonneux* (114)?

Lusoner/lusiner se trouvent dans trois points de l'Eure. *Lusoner* est probablement en rapport avec *luroner* 'flâner, perdre son temps' (*ALN* 1196) ou 'rester à ne rien faire (niaisement)' (*ALN* 1195) au point 99 et 'rôder (avec une intention suspecte)' (*ALN* 1197, point 32). *Lusiner* est peut-être issu d'un croisement de *lusoner* avec *lubiner* (*ALN* 1195, point 109), que le dictionnaire d'Oudin (1656) donne pour 'plaisanter, niaiser' (*FEW* 5, 427a LUBIN).

Mitonner est attesté pour 'caresser' dans le Bas-Maine (*FEW* 6/2, 176a MIT-).

Muser. L'emploi 'perdre son temps à des bagatelles, à des riens' est aujourd'hui vieilli et littéraire en français. *Muser* a été noté pour 'bricoler' aux points 96 et 98 dans le Pays de Bray picard et pour 'flâner, perdre son temps' dans l'Orne et le Lieuvin (*ALN* 1196, aux points 42, 55, 63, 68, 69, 70, 71, 78). Cette dernière aire inclut aussi trois attestations de *buser*, au même sens (points 70, 71 et 77). *Muser/buser* forment une paire minimale comprenant deux labiales à l'initiale et une attraction n'est certainement pas à exclure. On perçoit, avec ce commentaire, l'imbrication des lexèmes sur le terrain et la complexité des liens qu'ils entretiennent.

Nunuter, noté dans l'*ALN* en limite de la Picardie, dérive de *nunu* 'bagatelle, niaiserie', largement répandu dans les domaines normand et picard (*FEW* 7, 232b *NULLUS). La variante *nunoter*, avec dissimilation sous l'influence du suffixe *-oter*, se trouve concurremment au point 97.

Péonner est attesté dans deux points du Bray picard (97 et 98). Il doit être rattaché au verbe *pionner* (*FEW* 8, 145b PEDO) qui signifie en mfr. 'piocher', fouiller la terre' et qui est attesté notamment dans l'Ouest pour 'travailler péniblement'.

Tâtonner 'essayer quelque chose, en faire l'essai, avec hésitation' est attesté en français au 17ᵉ siècle. Un *tâtonnier* est un marchand de bestiaux mesquin (ALN 790, point 95). La variante *totonner* est enregistrée aux Andelis 'faire ou défaire quelque chose avec hésitation, avec minutie', ainsi qu'au Canada s. v. *tautonner* 's'agiter et ne rien faire' (*FEW* 13/1, 142a *TAXITARE).

Titonner, que les enquêtes de l'*ALN* ont relevé dans le Bocage de Saint-Lô et le Pays de Caux, est classé sous *FEW* 17, 333a *TIPPA, qui donne l'emploi 'habiller (un enfant) avec recherche' dans le Pays de Bray.

Vésonner. V. le commentaire sous *bouiner* (2.1).

En guise de conclusion : aspects géolinguistiques et sémantiques

L'exemple de digonner

La carte n° 7 représente les emplois du mot *digonner* (et sa variante locale *digouenner*) dans le domaine normand. Selon le principe adopté pour toutes les cartes de l'ALN, nous délimitons par un trait plein les aires sémasiologiques et nous ajoutons (ici après un +) les emplois locaux sporadiques. Cette carte montre que :

- le mot est absent des trois quarts du département de la Manche ;

- il signifie 'fouiller' à la fois dans le quart nord de la Manche et en Haute-Normandie, sauf dans l'extrême nord de la Seine-Maritime ;

- il signifie 'radoter' dans le Calvados, l'Orne et le sud de l'Eure.

L'emploi figuré 'radoter' semble avoir progressé en Normandie d'est en ouest à partir du centre diffusion de l'Île-de-France, isolant une aire 'fouiller' dans le nord du Cotentin, qui a le plus longtemps conservé ses parlers dialectaux. L'emploi 'radoter' a aussi « infiltré » l'autre aire 'fouiller', à l'exclusion du Pays de Caux, lui aussi bastion dialectal. Quant à l'emploi 'bricoler', très minoritaire, il figure toujours avec l'emploi 'fouiller'. Il en apparaît donc comme une spécialisation.

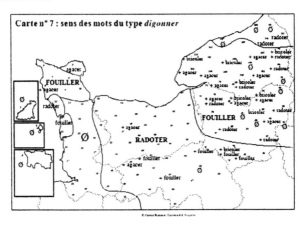

Carte n° 7 : sens des mots du type *digonner*

Tableau 1. Les mots polysémiques signifiant 'bricoler' en Normandie

	751*	977	1080	1127*	1195	1196	1197	1214*	1219	1219*	1251	1255
busoquer					1				77			
busoter						1			4			
niveler							1		3	1		
niveloter						1			31	5		
nigeoter									10	1		
nigoner		3							4		1	1
bouiner	2	5	1	2					15			
digonner		32							7		13	53
digoter		2							1		1	
digouiller		3							1		2	
foutiner								1	32			
flâner					12	59	6		1			
rabûquer		27							2			2
bilouiner						2			1			

751* '(faire) saillir (la lapine)'
977 'fouiller à l'aide d'un bâton'
1080 'rafistoler, raccommoder grossièrement'
1127* 'faire l'amour'
1195 'rester à ne rien faire (niaisement)'
1196 'flâner, perdre son temps'

1197 'rôder (avec une intention suspecte)'
1214* 'fouiller (données complémentaires)'
1219 'bricoler'
1219* 'fignoler'
1251 'faire enrager, agacer'
1255 'radoter, rabâcher'

Cependant, si l'on considère le tableau 1, l'emploi majoritaire de *digonner* en Normandie est aujourd'hui 'radoter, rabâcher'.

Les mots polysémiques signifiant 'bricoler'

Le tableau 1 donne les 14 mots attestés pour 'bricoler' qui se retrouvent ailleurs dans l'ALN avec un emploi différent. Au total 12 cartes ou listes de mots sont concernées. Ces mots se répartissent en deux catégories, selon qu'ils sont très bien attestés dans le domaine normand ou non. Pour *digonner, flâner* et *rabûquer* l'emploi 'bricoler' est très minoritaire. À l'inverse, pour *busoquer, niveloter, nigeoter, bouiner, foutiner*, le même emploi est très majoritaire. De là, nous tirons quelques observations qui pourraient être érigées en règles :

a- Il y a peu de place pour la variation dans les vastes aires compactes : *busoquer, nigeoter, foutiner* sont quasiment monosémiques et les rares extensions d'emplois sont très localisées, comme si le nombre massif d'attestations n'autorisait, en quelque sorte, que ces quelques « débordements ».

b- Les variantes se comportent comme les mots-types – entendons par-là lexèmes les plus attestés : la situation de *busoter* est à rapporter à celle de *busoquer*, celle de *niveler* à *niveloter*, où le dérivé, plus expressif, l'emporte sur le simple. De même, les emplois de *digoter* et *digouiller* sont parallèles à ceux de *digonner*, à l'exception du sens figuré 'radoter, rabâcher'.

c- Les mots polysémiques de grande diffusion dans l'espace dialectal, pour lesquels une étude détaillée de la distribution géographique serait à mener, possèdent des aires sémasiologiques relativement circonscrites qui leur permettent de fonctionner isolément : *digonner* (v. ci-dessus les commentaires sur la répartition des emplois de ce mot) et *flâner* témoignent de cette situation.

d- La dégradation de la situation décrite en (c) – dans le sens d'un amenuisement des aires sémasiologiques – entraîne de fait une hiérarchie des emplois : *niveloter, bouiner* et *rabûquer* présentent tous deux un emploi largement dominant assorti de plusieurs autres isolés ou organisés en petites aires, qui peuvent représenter des buttes témoins d'aires autrefois plus étendues.

e- Les mots isolés ne peuvent être traités qu'au cas par cas : aucune hypothèse ne peut être formulée pour *bilouiner*, qui ne compte qu'un total de 3 attestations réparties sur 2 emplois. Quant à *nigoner*, ses 6 attestations se trouvent dans l'aire de *digonner* – phonétiquement proche, mais sans rapport étymologique – se substituant parfois à ce mot comme au point 83 : l'attraction paronymique est incontestable.

Aperçu sémantique

La plupart des mots de la carte 1219 apparaissent aujourd'hui comme démotivés aux yeux des locuteurs. Par ailleurs, les motivations initiales, que les spécialistes de l'étymologie peuvent mettre au jour, sont parfois éloignées des emplois attestés aujourd'hui. Elles sont souvent difficiles à cerner et un classement se révèle malaisé. Néanmoins, on peut distinguer des évolutions sémantiques à partir des concepts suivants :

- « se comporter comme un niais » (*busoquer, nigeoner, nunuter*) ;

- « hésiter » (*niveler, niveloter*) ;

- « s'agiter » (*bouiner, s'ébattre, vésonner*) ;

- « perdre son temps » (*bilouiner, boroner, musoter, tarigner, muser*) ;

- « faire des choses sans importance » (*gnognoter*) ;

- « piquer » (*digonner, digoter, digouiller, picouiner*) ;

- « foutre » (*foutimasser, foutiner, foutoter*) ;

- « travailler mal » (*bousillonner*)

- « palper, caresser » (*menotter, catouiller, mitonner, tâtonner*).

Dans le tableau 2, nous avons opéré un classement des différents sèmes caractérisant le type d'activité qui semblent se dégager des 14 mots du tableau 1. Nous observons que le champ conceptuel de cet ensemble de mots s'organise de telle façon que le sème « activité méticuleuse » apparaît comme central. Aucun mot dialectal ne peut dénommer à la fois une activité répétitive et une activité faible ou nulle : le grand soin apporté au travail entraîne soit une répétition soit une activité réduite.

Activité répétitive		Activité méticuleuse	Activité faible ou nulle	
	figuré			péjoratif
fouiller 1214* fouiller à l'aide d'un bâton : 977 (faire) saillir (la lapine) : 751 faire l'amour : 1127*	faire enrager, agacer : 1251 radoter, rabâcher : 1255	rafistoler, ... : 1080 bricoler' : 1219 fignoler : 1219*	rester à ne rien faire : 1195 flâner, perdre son temps : 1196	rôder : 1197
nigoner bouiner digonner digoter digouiller foutiner rabûquer	*nigoner digonner digoter digouiller rabûquer*	*busoquer busoter niveler niveloter nigeoter nigoner bouiner digonner digoter digouiller foutiner flâner rabûquer bilouiner*	*busoquer, busoter niveloter flâner bilouiner*	*niveler flâner*

Tableau 2. Classement sémantique des lexèmes polysémiques

Bibliographie

ALF : GILLIÉRON, Jules et EDMONT, Edmond, 1902-1910, *Atlas linguistique de la France*, Paris, Honoré Champion.

ALN : BRASSEUR, Patrice, *Atlas linguistique et ethnographique normand*, Paris, Ed. du C.N.R.S. : vol. 1 [cartes 1-373], 1980 ; vol. 2 [cartes 374-779], 1984 ; vol. 3 [cartes 780-1068], 1997 ; vol. 4 [cartes 1068-1400], à paraître.

BRASSEUR, Patrice, 1990, *Le parler normand. Mots et expressions du terroir*, Paris, Rivages.

DE GARIS, Marie, 1982, *Dictiounnaire angllais-guernesiais*, Chichester, Phillimore, 3ᵉ éd..

FEW : VON WARTBURG, Walther, 1922 et suiv. [en cours de publication], *Französisches Etymologisches Wörterbuch. Eine darstellung des galloromanischen sprachschatzes*, Bonn-Leipzig-Bâle.

LEPELLEY, René, 1989, *Dictionnaire du français régional de Basse-Normandie*, Paris, Bonneton.

LE MAISTRE, Franck, 1966, *Dictionnaire jersiais-français*, Jersey, Don Balleine.

DRF : RÉZEAU, Pierre (éd.), 2001, *Dictionnaire des régionalismes de France*, Bruxelles, De Boeck/Duculot.

CHAPITRE 8

PRATIQUES DIALECTALES EN NORMANDIE [1]
ENQUÊTES EN 2008 AUTOUR DE CAEN

En ce début de XXIᵉ siècle, on peut se poser la question de la vitalité des dialectes de la langue d'oïl, issue de l'évolution du latin parlé sur le territoire du Nord de la Gaule : ils ont été considérablement fragilisés par un siècle d'école obligatoire, par le développement des médias qui ont contribué à diffuser dans chaque foyer de notre pays le *français standard* (ou *français commun*), sans oublier les deux guerres mondiales et le brassage de populations qu'elles ont entraîné, facilitant ainsi la circulation de l'idiome national au détriment des parlers locaux ou *patois*.

À une époque où la mondialisation nécessite de plus en plus que chacun maîtrise une ou plusieurs langues étrangères, qu'en est-il donc de ces parlers traditionnels, essentiellement oraux, différents d'une commune à l'autre, non diffusés par l'école, acquis uniquement par la transmission familiale ? L'Office universitaire d'études normandes, avec le soutien de la Maison de la Recherche en Sciences Humaines de l'Université de Caen Basse-Normandie, dans le cadre du Contrat de Plan État-Région 2008-2011, a initié une enquête en Normandie pour tenter d'apporter une réponse à cette question.

Les préliminaires

L'idée de cette enquête est venue d'un sondage effectué auprès des maires des 114 communes qui ont constitué les points d'enquête de Patrice Brasseur (1980, 1984 et 1994) pour l'*Atlas linguistique et ethnographique normand,* dans les années

---

[1] Catherine Bougy, Université de Caen, OUEN (France).

70[2], afin de les interroger sur la pratique dialectale actuelle dans leur commune. Ce sondage, parallèle à celui entrepris par Gérard Taverdet (1999) en Bourgogne, a permis de dresser une carte riche d'enseignements et d'interrogations puisqu'elle repose sur le témoignage d'une seule personne. La nécessité s'est alors imposée de confronter leur opinion à celle de locuteurs de ces communes.

Les objectifs

Il s'agit de recueillir dans les 114 points d'enquête de l'*Atlas linguistique et ethnographique normand* des indices de ce qui se parle aujourd'hui en Normandie : français commun, français régional, patois ? Ce terme de *patois* est employé par nos témoins eux-mêmes. Il désigne la forme prise dans notre région par la langue d'oïl, héritière du latin introduit en Gaule au 1er siècle avant Jésus Christ par les Romains. Les patois normands présentent (ou ont présenté) un système organisé, qui n'est pas celui du français, sur les plans phonétique, morphologique, syntaxique et lexical. Les français régionaux sont des formes particulières prises par le français dans une région donnée. Leurs différences avec le français commun concernent essentiellement des points de lexique et de prononciation.

Cette enquête devrait donc permettre de conserver une trace de ce qui reste dans les pratiques et dans les mémoires et de faire un constat des évolutions qui ont pu se produire en l'espace de 30 ans. Elle entre dans le Contrat de Plan État-Région (CPER) mis en place avec l'Université de Caen Basse-Normandie pour les années 2008-2011. Y participent des enseignants-chercheurs de diverses universités, tous spécialistes de dialectologie normande : Catherine Bougy (enquêtes dans le Calvados et l'Eure), université de Caen Basse-Normandie, Mari Jones, (Îles anglo-normandes), université de Cambridge, Grande-Bretagne, Stéphane Laîné (Manche), Université de

---

[2] Tome I, cartes 1 à 373, tome II, cartes 374 à 779 et tome III, cartes 780 à 1068.

Caen Basse-Normandie, Isabelle Pesce, (Orne), Université de Gênes, Italie, Michèle Schortz, (Seine-Maritime), Université d'Orebrö, Suède, ainsi que Christophe Turbout et Thomas Le Jeune, informaticiens de l'université de Caen (CERTIC, CIT). Des enseignants et étudiants apportent aussi leur collaboration au projet[3].

L'enquête elle-même

Elle prévoit la rencontre de témoins originaires de chaque commune ou y ayant vécu depuis un nombre suffisant d'années pour être considérés comme représentatifs de ce qui se parle ou de ce qui s'est parlé dans la communauté linguistique étudiée. Ce sont généralement des hommes et des femmes âgés de 65 à 80 ans et plus, parfois des témoins d'environ 50 ans : ces derniers permettent de faire le constat de ce qui s'est transmis et perdu d'une génération à une autre. L'entretien se fait à l'aide de trois questionnaires : le premier porte sur la situation linguistique de la commune, d'après les témoins (y a-t-on parlé patois, y patoise-t-on encore ?), sur celle de chaque témoin dans le passé et dans le présent, sur sa relation au patois, sa compétence à produire du patois. Le second s'intéresse à des points essentiels de la phonétique des parlers normands : traits de l'ouest d'oïl (par exemple [me] pour *moi*, [peR] pour *poire*) ; traits normano-picards, (par exemple [vak] pour *vache* ; [ʃã] pour *cent*) ; traits mêlant les deux caractéristiques ([tʃery] [tʃeRɛt] pour *charrue, charrette...*) ; traits bas-normands ([tʃeRpãtji] pour *charpentier*, [ɲø] pour *nuit...*). S'y ajoutent quelques points de morphologie comme des oppositions singulier-pluriel : [kute] / [kutjo] (ou kutja) ou la forme du pronom indéfini *on* : [no] ou [no z] devant voyelle ; la forme des déterminants possessifs *mon ton son* : [mã], [tã], [sã] en Normandie. Ces questions sont pour leur plus grande partie

---

[3] Annie Fettu et Véronique Sébire ont ainsi participé activement aux enquêtes en Pays d'Auge, Michèle Neuwirth, Claude Pitrou, Natalie Rduch et Amel Chehrouri dans le Calvados et l'Orne. Qu'elles en soient ici remerciées.

celles posées par le dialectologue Charles Joret (1883) pour déterminer les grands traits phonétiques des patois normands, décrits dans *Des caractères et de l'extension du patois normand*. Le troisième questionnaire aborde des points de vocabulaire ayant trait à la vie de tous les jours : confection du cidre, nourriture, noms d'animaux, objets du quotidien... L'enquêteur propose une définition en français et le témoin indique s'il connaît un mot qui y correspond, mot dont on lui demande d'indiquer s'il l'emploie couramment ou plus rarement, s'il l'entend employer ou s'il l'a entendu autrefois. Ces questions s'inspirent des cartes de *l'ALN* de Patrice Brasseur.

Les éléments recueillis

Les résultats de cette enquête feront l'objet de cartes dynamiques consultables sur Internet et permettant une information auprès de la communauté scientifique et d'une sensibilisation du public intéressé par ces réalités langagières. Le fait de procéder par questionnaires permettra de dresser des cartes complètes des données et de procéder à des comparaisons sur des éléments qui réapparaîtront chez tous les témoins. Les commentaires des témoins et les termes supplémentaires qu'ils peuvent fournir et des définitions plus précises sont pris en compte dans le rapport d'enquête. La vitalité du patois pourra être mesurée en fonction des réponses précises fournies par les témoins. Les questionnaires portant sur la phonétique, la morphologie et le lexique permettront de déterminer si les pratiques langagières du témoin se situent dans le domaine dialectal ou régional.

En mars 2008 : les témoins autour de Caen

L'enquête a commencé dans le Calvados au début de l'année 2008. Pour l'exposé, nous avons examiné les entretiens menés dans 7 communes autour de Caen, notées ci-dessous d'après le numéro qui leur a été affecté dans l'*Atlas linguistique et ethnographique normand*. 23 personnes ont été interrogées et leurs réponses étudiées :

Danestal, ALN 61 : 4 personnes F 75 – F 48 – M 48 – F 79
Feuguerolles, ALN 49 : 3 personnes M 68 – M 78 – M 53
Port en Bessin, ALN 36 : 4 personnes M 61 – M 73 – F 71 – M 48
Luc sur Mer, ALN 47 : 3 personnes M 75 – M 85 – M 54
Escoville, ALN 48 : 4 personnes F 74 – F 80 – M 65 - M 79
Ouffières, ALN 44 : 4 personnes F 76 – M 82 – F 54 – F 79
Ussy, ALN 51 : 2 personnes F 48 – M 80

Leur estimation de la vitalité du patois

L'enquêteur proposait cinq estimations de la vitalité du patois :

A : « On n'a jamais parlé le patois dans la commune » ; B : « On a parlé le patois il y a très longtemps, mais personne ne s'en souvient » ; C : « On utilise encore quelques vieux mots qui ne sont pas signalés dans les dictionnaires » ; D : « Certaines personnes âgées utilisent parfois le patois » ; E : « Le patois est utilisé dans la vie familiale et par plusieurs générations ». Les réponses, le plus souvent nuancées, ont été les suivantes :

Danestal :   C ; CD ; D ; B
Feuguerolles :   DE (« ça peut arriver ») ; CD (« peut-être encore quelques uns ») E (« dans certaines familles peut-être ») ; CD
Port en Bessin : DE ; DE ; CDE (« les jeunes de moins en moins ») ; CDE (« les jeunes moins ou pas du tout »)
Luc-sur-Mer :   CD (« des fois ») E (« parfois ») ; D ; CD
Escoville :   CD ; C ; CD ; DE(« un peu »)
Ouffières :   CD (« pas beaucoup ») ; C ; CD
Ussy :   B ; BC

Il y a 14 mentions de C ; 17 de D, 7 de E, 4 de B. Pour la majorité de ces témoins, l'usage du patois est donc surtout le fait des personnes âgées. Ils ont majoritairement ajouté que pour eux *patoiser* signifiait « être capable de dire quelques mots différents du français ».

Les témoins se considèrent-ils eux-mêmes comme patoisants ?

Danestal   2 oui (75, 79 ans) ; 2 non (48-48 ans)

Escoville	*2 oui (79 + 79 ans) 1 oui ? (80 ans) 1 non (65 ans)*
Feuguerolles	*3 oui (68, 78, 53 ans)*
Luc-sur-Mer	*2 oui (75 ; 85 ans) 1 oui, quelques mots (54 ans)*
Ouffières	*1 oui (76 ans), 2 non (82, 54 ans)*
Port-en-Bessin	*4 oui (61, 73, 71, 48 ans)*
Ussy	*2 non (48, 80 ans)*

Actuellement, sur ces 23 locuteurs âgés de 48 à 80 ans, seuls les quatre témoins de Port-en-Bessin disent patoiser au quotidien. Tous les autres parlent le français. Dans leur jeunesse, les plus âgés ont parlé et entendu parler le patois et le français dans la vie quotidienne avec leur famille et leurs voisins ; les plus jeunes n'ont parlé que le français.

Leur définition de patois, patoiser ?

Danestal : « *transformations* » ; « *mauvais français* », « *estropié* » ; « *des mots qui viennent de l'ancien temps* » ; « *un produit local* ».

Escoville « *notre 1ère langue, qu'on a entendue tout jeune* » ; « *c'est autre chose que le français (pas du français déformé)* » ; « *un parler surtout de la campagne* ».

Feuguerolles « *déformation du français* » ; « *une langue régionale, en voie de disparition* ».

Luc-sur-Mer « *des mots déformés* » ; « *ça représentait le pays* » ; « *prononciation, vocabulaire, constructions différents* ».

Ouffières « *un français transformé, déformé* » ; « *du mauvais français* » ; « *il y en a qui parlent mal* » ; « *chacun a sa langue, sa manière de parler* ».

Port-en-Bessin « *la langue traditionnelle ; « des mots déformés ? Ou bien est-ce le français qui est déformé ?* » ; « *un dialecte, ma langue* ».

Ussy « *déformation des mots* » ; « *mots régionaux, inconnus des étrangers* » ; « *un parler spontané* ».

Pour la plupart, le patois est « du français déformé ou transformé », comme on le leur a souvent dit à l'école. Mais ils sont attachés à ce parler de leur enfance et de leur « pays », qu'ils ont actuellement peu d'occasions de parler, faute d'interlocuteurs, sauf à Port-en-Bessin.

Phonétique, morphologie et lexique

Phonétique : « charrette – charrue – charpentier »

Nous reproduisons ci-dessous quatre tableaux récapitulatifs de questions de phonétique, de morphologie et de vocabulaire proposées à ces 23 personnes, sachant que nous avons transcrit nos données en API (Alphabet phonétique international), mais nous avons conservé les transcriptions de l'*Atlas linguistique et ethnographique normand* dans l'alphabet des dialectologues.

Tous (sauf à Port-en-Bessin) emploient au quotidien les formes françaises ʃaRɛt, ʃaRy, ʃaRpɑ̃tje. Nos interlocuteurs ont donc sollicité leur mémoire pour nous donner ces formes dialectales. Les réponses fournies sont très diverses, selon les témoins, mais aussi selon les mots proposés : tel phénomène attesté dans un mot chez un témoin ne l'est pas dans un autre. Ainsi, la première syllabe de *charrette, charrue, charpentier* peut être prononcée ʃaR- ; kaR ; keR- ; tjeR- ; tjɛR- ; tʃeR- ; tʃɛR- ; tʃjɛR- ; tʃəR- ; tʃaR- ; cette dernière variante, non attestée dialectalement, résulte d'un « croisement » entre la forme française ʃaR- et dialectale tʃjɛR-.

Danestal	kaRɛt / keRɛt	ʃaRy	ʃaRpɑ̃tje (2)
	kaRɛt	ʃaRy	ʃaRpɑ̃tje
Escoville	tʃeRɛt	tʃeRy	ʃaRpɑ̃tje (3)
	tʃaRɛt	tʃeRy	ʃaRpɑ̃tje
Feuguerolles	tʃaRɛt	tʃaRy	ʃaRpɑ̃tje (2)
	tʃeRɛt	tʃeRy	ʃaRpɑ̃tje

Luc-sur-Mer	tʃeRɛt	tʃeRy	ʃaRpãtje (2)
	tʃeRɛt	ʃaRy	kaRpãtje
Ouffières	tʃəRɛt	tʃəRy	tʃɛRpãtje
	tʃeRɛt	tʃeRy /tʃaRy	kaRpãtje
	ʃaRɛt	kaRy	kaRpãtje
Port-en-Bessin	tjeRɛt	tjeRy	tjɛRplo
	tʃeRɛt	tʃeRy	tʃjeRplo
	tjeRɛt	ʃaRy	tʃjeRplo
	ʃaRɛt	ʃaRy	ʃaRpãtje
Ussy	ʃaRɛt / kaRɛt	ʃaRy	ʃaRpãtje
	ʃaRɛt	ʃaRy	ʃaRpãtje

Tableau 4. Phonétique : « charrette – charrue – charpentier »

Morphologie :　　« *couteau(x),　　morceau(x),　　bateau(x),
agneau(x)* »

Cette question porte sur la morphologie des noms en –*eau(x)*
du français, qui présentaient en moyen français un singulier en
–*el* et un pluriel en –*eaus / iaus*. Si l'opposition médiévale est
encore présente dans la mémoire de nos témoins, elle n'est pas
systématique, et elle apparaît sous des formes très diverses
selon les locuteurs et selon les mots.

	« couteau(x) »	« morceau(x) »	« bateau(x) »	« agneau(x) »
Danestal	kutjo / kutjo kuto / kutjo	mɔRsjo / mɔRsjo mɔRso / mɔRsjo	batjo / batjo bato / batjo	aɲo / aɲo (2) aɲo / aɲo

Escoville	kutjo / ? kutɛ ; kutɛ / ? kutɛ / kutjo kutʃjo / kutʃjo	mɔRsɛ / mɔRsjo mɔRso / mɔRso mɔRsɛ / mɔRsjo mɔRsɛ / mɔRsjo	bato / bato bato / bato batjo / batjo batɛ / batjo	aɲo / aɲo aɲo / aɲo aɲo / aɲo aɲo / aɲo
Feuguerolles	kutɛ / kuto kutɛ / kutʃjo ; kutjo_u kutɛ / kutjo kute / kute	mɔRso / mɔRso mɔRsɛ / mɔRjo mɔRsɛ / mɔRsjo mɔRsɛ / mɔRsɛ	bate / bato batɛ / batʃjo_u batjo / batjo bate / batʃjo	aɲo / aɲo aɲo / aɲo aɲo / aɲo aɲo / aɲo
Luc-sur-Mer	kutɛ / kutjao kutɛ / kutja/kutjo kutɛ / ?	mɔRsɛ / mɔRsjao mɔRsɛ / mɔRsja / mɔRsjo mɔRsɛ / ?	batɛ / batjao batɛ / batja ; batjo batɛ / batjo	aɲo aɲo aɲo aɲo aɲo aɲo
Ouffières	kutɛ / kutjo kutɛ / kutɛ kutɛ / kutɛ	mɔRsɛ / mɔRsjo mɔRsɛ / mɔRsɛ mɔRsɛ / mɔRsɛ	bato / bato batɛ / batɛ bato / bato	aɲo / aɲo aɲɛ / aɲɛ aɲo / aɲo
Port-en-Bessin	kuta / kutja_o kuta / kutjao	mɔRsa / mɔRja_o mɔRsa / mɔRjao	bata / batja_o bata / batjao	aɲo / aɲo (2) aɲo / aɲo
Ussy	kuto / kuto ; kutjo	mɔRso / mɔRso	bato / bato	aɲo / aɲo (2)

Tableau 5. Couteau(x), morceau(x), bateau(x), agneau(x)

Pour *couteau*(x), le terme le plus souvent attesté sous une forme dialectale dans ce tableau, on relève au singulier kuto, kutjo, kute, kutɛ, kutʃjo, kuta ; au pluriel kutjo, kuto, kutʃjo, kutjo_u, kute, kutjao, kutja_o, kuta, kutɛ. Seuls nos interlocuteurs de Port-en-Bessin, qui ont revendiqué une pratique du patois quotidienne, ont conservé un système homogène, à l'exclusion du mot *agneau* : au singulier kuta, mɔRsa, bata, aɲo ; au pluriel kutjao ou kutjₐo, mɔRsjao ou mɔRsjₐo, batjao ou batjₐo, aɲo. Un seul témoin, à Ouffières, a donné des formes dialectales pour tous les mots. Mais il s'est déclaré « non patoisant », ce qui minimise l'importance de son témoignage.

Lexique : « un grand sac à pommes de terre »

point ALN	locution/explication	autre sens	commentaire	ALN 172
Danestal 61 F 75 puk	« au plus fort la *pouque* »		« on l'entend toujours »	pʊk
F 48 puk		« vieux chiffon tout sale »	« entendu »	
M 48, F 79 puk			« employé souvent »	
Escoville 48 F 74 puk	« une *pouque* de pommes, de patates » ; ʒve vni kRi yn puk də paj « je vais venir chercher un sac de paille »			pʊk
F 80, M 65 puk		jouer à *pouque mouque*		
M 79 puk	œn puk ; yn puʃ : « patois dénaturé » œn putʃi : « *pouquie*, contenu d'une *pouque* »		« je le dis encore » ; putʃi : « je le dis souvent »	
Feuguerolles 49 M 68, M 78 puk	(œn) puk			pʊk
M 53 puk	yn puk : « en toile de jute, des *pouques* de 50 kg ; on les repliait sur elles-mêmes pour se faire une capuche quand on ramassait les pommes »	« vieux vêtement »	« je peux le dire encore » : u se ke ma vjej puk ? : « où est ma vieille *pouque* ? »	

Luc-sur-Mer 47 M 75 puk	yn puk : « sac de 50 kg en toile »		« je le dis encore »	pʊk
M 85, M 54 puk			« resté très courant » ; « employé même en français »	
Ouffières 44 F 76 puk	« en toile de jute, pour mettre des pommes » ; yn putʃi d ɛRb, də pɔm : « le contenu d'une *pouque* »		« on le dit toujours »	pʊk
M 82, F 54 puk			« entendu » ; « peu employé »	
F 79 puk				
Port-en-Bessin 36 M 61, M 73 puk	il a pRi sa puk, il a debaRki, il debaRk sa puk : « il emporte son sac de marin, il quitte le bateau pour un autre »			pʊk
F 71, M 48 puk	il a pRi sa puk : « il a quitté le bateau » ; il debaRk sa puk	yn puk də mɔl : « sac de 30 kg pour la pêche aux moules »		
Ussy 51 F 48 puk			« entendu autrefois »	pʊk
M 81 puʃ	« pour mettre des graines »			

Tableau 6. Un grand sac à pommes de terre

Les témoins interrogés ont cité le substantif [puk], le plus souvent sous cette forme normano-picarde (*pouque*) attestée dans la région de Caen. On note la variété de leurs commentaires à propos des activités auxquelles est associé ce grand sac, qui ne sert pas qu'à ramasser des pommes de terre. Deux seulement mentionnent aussi le dérivé dialectal *pouquie*, sous sa forme palatalisée [putʃi] caractéristique des parlers bas-normands. Dans leurs commentaires les témoins font état d'un emploi fréquent de *pouque*, « même en français », ce qui signale un usage plus régional que dialectal du mot, comme l'atteste d'ailleurs le *Dictionnaire du français régional de Basse-Normandie* de René Lepelley (p. 115).

Lexique : « *le café a bouilli trop longtemps, il a...* »

Les 23 personnes interrogées ont spontanément cité la locution *café bouillu café foutu*. Mais les termes dialectaux ou régionaux n'ont pas manqué pour cette question. Si *randouiller* est attesté en français régional (Lepelley, 1989 : 121), comme le signalent d'ailleurs certains témoins, la finale en -*a* de *rangouina* est dialectale, ainsi que la forme diphtonguée [i bwo] « il bout » et la forme palatalisée [tʃø] « cuit », qui présente en outre une évolution bas-normande de la diphtongue [ɥi].

Point ALN	locution	autre expression / explication	ALN 1023
Danestal 61 F 75	kafe bujy kafe futy	il e Rkɥi : « il est recuit »	hãdʋyi
F 48, M 48, F 79	kafe bujy kafe futy		
Escoville 48 F 74, M 79	kafe bujy kafe futy	il a / Rõdone / Rãdone	rõdoné
F 80	kafe bujy kafe futy		
M 65	kafe bujy kafe futy	dy Rekofe : « du réchauffé »	
Feuguerolles 49 M 68	kafe bujy kafe futy		mitoné ; rõdoné
M 78, M 53	kafe bujy kafe futy	se tRo tʃø : « c'est trop cuit »	
Luc-sur-Mer 47 M 75, M 85	Rãduje		rãdʋyé

M 54	Rãduje	sa Rãduj : « ça randouille ; employé même en français »	
Ouffières 44 M 82, F 54	kafe bujy kafe futy		rãdʊyi
F 76	il a Rwi	Rãduje : « connu »	
F 79	kafe bujy kafe futy	Rãduje : « pas souvent »	
Port-en-Bessin 36 M 61, M 73	il e Rãgwina	ʃe dy Rãgwina	rãgwiné
F 71	sa kRɔk o fɔ̃ : « ça accroche au fond »	i bwo : « il bout »	
M 48	i bwo : « il bout »		
Ussy 51 F 48	kafe bujy kafe futy	se Rusti : « c'est brûlé »	?
M 80	kafe bujy kafe futy	i s ty d buji : « il se tue de bouillir » (grand-mère du témoin)	

Tableau 7. Le café a bouilli trop longtemps, il a...

Lexique : « poignée de porte »

Point ALN	locution /explication	autre sens / autre mot	commentaire	ALN 959
Danestal 61 F 75, F 79	klãʃ	klãʃe (la pɔRt) : « fermer la porte »	« est-ce-que c'est patois ? » ; « on le dit tout le temps »	klãє
F 48, M 48	klãʃ		« c'est du français ou du patois ? » ; « on le dit tout le temps »	
Escoville 48 F 74, M 65	klãʃ	klãʃe (la pɔRt) : « ouvrir et fermer la porte » ; « fermer la porte »		klãk
F 80	klãʃ		« je vais core bien le dire, je ne vais pas dire *poignée* »	

M 79	klãʃ ; « en français je dis yn klãʃ » ; puɲi	a ty klãʃi la pɔRt ? : « ouvert » ou « fermé »		
Feuguerolles 49 M 68	klãʃ	klãʃe : « fermer »	« employé »	klãk
M 78	klãʃ			
M 53	klãʃ	bekij ; butõ ; bek də kan	klãʃ : « courant dans le temps »	
Luc-sur-Mer 47 M 75, M 85	klãk	klãʃe : « ouvrir ou fermer la porte »	klãʃe : « employé »	klãk
M 54	klãk			
Ouffières 44 F 76	klãk		« je l'ai toujours dit »	klãk
M 82	klãk ; klãʃ		« entendu »	
F 54	klãʃ		« je le dis au quotidien »	
F 79	klãʃ		« souvent, on le dit »	
Port-en-Bessin 36 M 61, M 48	klãk	klãtʃje : « ouvrir » ; « pousser, fermer »		klãk
F 71	klãk	klãk la pɔRt : « ferme la porte »		
Ussy 51 M 80	klãʃ	klãʃe : « ouvrir ou fermer la porte »		klãɛ
F 48	klãʃ	klãʃe : « fermer »	« à Bordeaux on n'a pas compris le mot *clenche* »	

Tableau 8. Poignée de porte

[klãʃ], « clenche », « poignée de porte », est « usuel » dans le français régional de Basse-Normandie, comme l'a déterminé René Lepelley (1989) ; c'est ce que nos témoins notent par

« employé » ou « je le dis, on le dit souvent ». L'un d'entre eux, qui croyait le mot français, l'a utilisé hors de Normandie et a alors compris son originalité régionale. Le verbe dérivé, sous la forme [klɑ̃ʃe], « clencher », appartient aussi au lexique régional. Selon les témoins, il signifie « ouvrir » ou « fermer » la porte ».

Peu d'entre eux ont mentionné [klɑ̃k], phonétiquement dialectal, comme [klɑ̃tʃje], où l'on observe la palatalisation devant yod du [k] de [klɑ̃kje] (*clenquier* en ancien normand). Dialectal aussi [klɑ̃ʃi], originellement [klɑ̃ʃje] (*clenchier* en ancien français) où le yod a fermé le [e] qui le suivait, comme dans [puɲi] « poignée ». Enfin, [bekij], [butɔ] et [bɛk də kan] « béquille », « bouton », « bec-de-cane » sont des mots du français commun.

Conclusion : ce que parlent ces témoins ?

Nous leur avons posé des questions en français, ils nous ont répondu en français. C'est ce qu'ils parlent au quotidien, mais c'est un français riche de régionalismes lexicaux dont ils ont rarement conscience. Quant au patois normand, la plupart d'entre eux l'ont entendu et parlé dans leur enfance et ils en citent des traits phonétiques et lexicaux abondants mais disparates. Ils n'ont plus en mémoire, faute de le pratiquer régulièrement, l'ensemble du système dialectal, mais ils se souviennent encore de certains mots et de certaines formes.

Bibliographie

BRASSEUR P., 1980, *Atlas linguistique et ethnographique normand*, Paris, Éditions du C.N.R.S., Tome I.

BRASSEUR P., 1984, *Atlas linguistique et ethnographique normand*, Paris, Éditions du C.N.R.S., tome II.

BRASSEUR P., 1997, *Atlas linguistique et ethnographique normand*, Paris, Éditions du C.N.R.S., tome III.

JORET C., *Des caractères et de l'extension du patois normand*, Paris, Viehweg.

LEPELLEY R., 1989, *Dictionnaire du français régional de Basse-Normandie*, Paris, Christine Bonneton, 1989 ; *Dictionnaire du français régional de Normandie*, Paris, Christine Bonneton.

TAVERDET G., 1999, *Atlas linguistique de la Bourgogne (ALB)*, Paris, Éditions du C.N.R.S., 1975 (t. I) ; « La vie des patois bourguignons à la veille de l'an 2000 », in *Adieu au patois ? Étude doctorale de mars 1999*, Dijon, ABELL, 167-178.

CHAPITRE 9

UNIVERSALITÉ ET DIFFÉRENCES : LE CAS DES LANGUES NORMANDES ET PICARDES[1]

Introduction

Le succès croissant de l'Internet a fait naître d'immenses espoirs, de par le monde, chez tous ceux qui redoutaient les effets de l'hégémonie culturelle d'une langue ou d'une culture. En effet, l'Internet s'est construit, depuis la fin des années 80, sur l'idée simple d'une médiation universelle garantissant la possibilité pour chacun de s'exprimer, comme bon lui semblerait, et d'être visible pour le reste du monde connecté. Sans doute est-il nécessaire de faire le point sur ce rêve de grand partage. C'est l'objet de ce chapitre.

L'actualité nous offre l'occasion de réfléchir à deux faits récents, l'un institutionnel, l'autre médiatique, qui touchent tous deux à notre propos. L'article 75-1 de la Constitution de la République Française modifiée en juillet 2008, fait aujourd'hui mention des langues régionales comme partie intégrante du patrimoine culturel national : on ne peut trouver plus institutionnel comme éclairage pour notre débat. L'autre fait est beaucoup plus trivial. Le film de Dany Boon, « *Bienvenue chez les Ch'tis* », fait le meilleur score en première semaine de tous les films français ou étrangers avec 4,5 millions d'entrées. 9 millions d'entrées quelques semaines après sa sortie commerciale. En vedette : le picard. On ne peut trouver plus trivial et médiatique comme éclairage. Le Monde du 4 décembre 2007 annonçait une autre nouvelle, dont nous devons mesurer toute l'importance : pour la première fois dans l'histoire des industries culturelles, deux films produits en Inde

[1] Yves Chevalier, PREFics-EA 3207, Université Européenne de Bretagne. Bretagne- Sud (France).

(Bollywood) surpassaient en audience les grosses machines américaines.

La prédominance économique et stratégique n'équivaut donc pas systématiquement à une prédominance culturelle. L'intervention la plus institutionnelle n'est pas nécessairement la plus forte symboliquement. Qui aurait deviné le succès du film de Dany Boon ? Les débats sur cet amendement de la Constitution vont-ils nécessairement contribuer à la connaissance des langues régionales ?

Ces questions et le souvenir de ces quelques faits nous rappellent fort opportunément que toutes nos réflexions, nos analyses, doivent se situer en contextes, et que ces contextes sont hautement hétérogènes et complexes.

Même si la langue prédominante sur l'Internet reste l'anglais, les statistiques démontrent une progression constante des principales langues néolatines (espagnol, français, italien, portugais et roumain) sur la Toile. Entre 1998 et 2005, la présence des langues néolatines sur la Toile a presque doublé, tandis que celle de l'anglais est passée de 75 % à 45 %. Cette étude a été menée conjointement par l'ONG FUNREDES [2] et l'OIG[3]. On dénombre ainsi 5% environ de pages en français sur 8 milliards de pages « recensées ».

Dès lors que ce constat est fait, on peut envisager la question sous différents angles. Une lutte pied à pied pour être « présent » sur la toile s'engage, des plus faibles aux plus forts. Des analyses très techniques et complexes permettent de percer à jour les stratégies instrumentales de mise en visibilité de

---

[2] FUNREDES est une Organisation Non Gouvernementale (ONG) internationale, qui se consacre à la diffusion des Nouvelles Technologies de l'Information et de la Communication (NTIC) dans les pays en développement.

[3] Dans le cadre d'accords de coopération l'Organisation internationale de la Francophonie entretient des relations de partenariat avec 30 organismes intergouvernementaux (OIG) comme l'Organisation des Nations Unies, l'Organisation Internationale du Travail, etc.

Google qui vont toujours aux plus riches, aux plus offrants, aux plus visibles, aux plus appelés. Il faut sans doute mener ce combat. Nombreux sont ceux qui s'y essaient : éditions scientifiques en ligne, revues de haut niveau (on se souvient du sort de « *Marges linguistiques* »[4]), entrepôt d'archives, etc.

L'important, semble-t-il, aujourd'hui, c'est de reposer cette question de la présence des langues sur la toile, à nouveaux frais, et en particulier à propos des langues régionales, hyper-modimes, des « parlers micro-situés ». L'artésien, par exemple, qui est ma langue – non pas maternelle, mais plutôt « villageoise » – l'une des variétés picardes se frottant beaucoup avec le flamand : Saint-Omer [5] Nord-ouest parle l'artésien, Saint-Omer Sud-est parle volontiers flamand.

Déjà nous nous trouvons devant un paradoxe monstrueux entre le global et le local. Comment une langue hyper-située peut-elle entretenir un lien intellectuel ou techno-cognitif clair avec un outil dont l'esprit même est la globalisation ? On voit ici poindre un problème dont nous reparlerons plus tard à la lumière des travaux de Michel Foucault, François Jullien ou ceux de Régis Debray : universalité et différence. Je voudrais d'abord évaluer ici de manière qualitative ce que signifie la « présence » francophone sur la Toile. Il s'agira essentiellement de questions, tant les réponses sont complexes.

Je voudrais ensuite évoquer les moteurs de recherche et la question du statut technique et cognitif des outils de recherche comme Google. Et au-delà des moteurs de recherche, la question de la neutralité technique de ces outils.

Enfin je voudrais ouvrir une réflexion sur la médiation interlinguistique à partir des concepts d'universalité et de différence.

---

[4] « Marges Linguistiques », cette revue en ligne a disparu en 2007. Archives consultables http://www.revue-texto.net/Quoi_de_neuf/Neuf.html

[5] Ville du Nord de la France.

Être « présent » sur la toile ?

Le hasard veut que, en préparant cette contribution, je sois tombé sur ceci, dans les premières occurrences de Google avec le mot-clef « francophonie »:

[Ce site se veut une porte d'accès aux ressources francophones gratuites disponibles sur le web. Notre but n'est pas de référencer tout les sites existants, mais tout ceux étants dignes d'intérêt. Les sites ont été choisi pour leur qualité, leur pertinence et la fréquence des mises à jour.
Tous les liens mènent à des sites gratuits francophones!![6]*]*

Sans être obsédé par l'orthographe et la grammaire du français éternel, on ne peut s'empêcher de penser que c'est dommage de trouver sur un portail francophone, destiné à des apprenants du FLE, des documents d'aussi piètre qualité. Et que se trouve posé là, comme dans maintes autres occasions, la question de la validation des contenus, dans le fond et dans la forme. Nous sommes dans un système institutionnel – la langue est une institution – qui n'existe que parce que des normes communes, un niveau d'exigence partagé, dans des contextes différents, certes, mais bien identifiés par chacun (c'est en tout cas l'objectif), ont été validés. Il semble bien que la question de l'orthographe sur ce genre de sites remette en cause ce consensus. Sans être un militant acharné et aveugle des certifications linguistiques, DELF et DALF[7] par exemple, on ne peut ignorer le rôle majeur qu'elles jouent de par le monde comme repères, simples, efficaces, respectés sinon incontestés.

Sans doute le français est-il « présent » sur la Toile mais présence ne veut pas dire visibilité. Et pour ce qui concerne le normand, c'est encore plus évident. Le mode de fonctionnement du moteur le plus utilisé, Google, repose sur la « popularité », c'est-à-dire le nombre de connexions à telle ou telle page web. Est-ce que le français est « populaire » ? telle est la vraie

---

[6] http://ressources.hebergement-gratuit.com/
[7] Respectivement : Diplôme d'Etudes de Langue Française et Diplôme Approfondi de Langue Française.

question. L'installation d'un compteur *Xiti*[8] permettrait de savoir combien d'internautes se sont connectés sur le site cauchois de notre collègue Thierry Bulot, par exemple[9]. Sans doute faudrait-il en déduire les quinze ou vingt connexions auxquelles nous avons procédé pour préparer ce texte.

Non, le français n'est pas « populaire ». Non, le normand n'est pas populaire. Être populaire – au sens de Google, bien sûr, mais ce sens devient la norme –, cela signifie être connu, mais aussi souvent ou très souvent consulté, à cette condition un site peut le devenir encore davantage. Mais s'il s'agit d'un petit blog normandophile avec des photos de visites au Mont-Saint-Michel, à travers le Pays de Caux accompagnées de commentaires, il y a très peu de chance pour que ce site devienne « populaire » au-delà d'un petit cercle restreint. Une page, pour être vue doit être vue, c'est-à-dire que des liens nombreux doivent y mener. Ceci détermine des stratégies assez sophistiquées pour être bien référencé sur le web. Ces mécanismes de visibilité permettent aux opérateurs d'adopter une posture « morale » fondée sur cette « distinction » purement technique ; la morale de la clef à molette ou du tournevis. C'est le grand public qui choisit, c'est le « bouche-à-oreille », la rumeur, tout ce qui se trouve sur un site de partage de vidéo comme *Dailymotion*, etc. Dans un tel système, une intervention humaine, régulatrice, modératrice, serait perçue comme une agression de la subjectivité. Laisser faire le « marché ». Air connu. Les techniciens du web ne se fient qu'aux chiffres, comme la télévision à l'audience.

La visibilité en est ainsi réduite à une sorte de « météorologie » cybernétique où l'objectif majeur est d'être plus visible que le voisin. Où il semble que ce soit des règles « naturelles » qui font la pluie et le beau temps. Or, il n'y a rien

---

[8] *Xiti* est un système de comptage de connexions sur le réseau internet.

[9] http://membres.lycos.fr/bulot/cauchois/ au moment de la rédaction de ce texte, http://www.langue-normande.com depuis (NDE).

de « naturel » dans ces dispositifs. Les choix sont induits, les parcours tracés, les décisions construites.

Tout ceci pour expliquer que « présence » sur la toile n'a pas nécessairement le sens qu'on aurait tendance à lui donner dans les discours circulant sur ces questions. C'est dire aussi toute l'importance stratégique que va prendre un engagement au titre des Lettres, Sciences Humaines et Sociales dans ce qui n'est pas, on l'aura compris, un combat technique, mais un combat scientifique, culturel et institutionnel pour rétablir des normes de visibilité qui ne soient pas que quantitatives.

Wikipédia et Google, champions de la lutte contre la fracture numérique ?

Google et Wikipédia seraient en quelque sorte des ONG[10] qui lutteraient contre la fracture numérique : comment peut-on oser aujourd'hui s'attaquer intellectuellement à ces monuments de la société de la connaissance ? A ces philanthropes de la société du savoir ? Wikipédia nous offre aujourd'hui des millions de pages en français, c'est une mine extraordinaire. Qui ne jette pas un coup d'œil dans Wikipédia, chercheur, étudiant, internaute curieux ?

Pour Wikipédia, comme pour Google, c'est la victoire du lien technique et non du lien culturel. L'exemple de Wikipédia est clair : tout est lien dans Wikipédia. Le problème c'est que si tout est lien, plus rien n'est relié ; quand tout est relation, tout est relatif. Or la culture ce sont des liens qui existent dans la pratique culturelle, dans les usages linguistiques et non la possibilité physique de liens techniques purement associatifs. S'il y a isoglossie entre le normand et le picard – n'étant pas spécialiste de ces questions, je me garderai bien d'en juger – ce n'est qu'à travers l'expérience que je peux en faire, en tant que picard, avec des amis locuteurs normanophones.

Voici un exemple de page de Wikipédia, sur la langue normande. Les mots soulignés correspondent à des liens

---

[10] Organisation non gouvernementale.

hypertexte, et renvoient à d'autres articles de l'encyclopédie en ligne :

« La langue normande s'est implantée en Angleterre à la suite de la conquête de ce pays par Guillaume le Conquérant. Une concurrence, d'abord favorable au dialecte français, imposé partout comme langue officielle, s'est poursuivie entre les deux langues jusqu'au XIVe siècle, époque à laquelle le français a perdu peu à peu du terrain pour finir par disparaître. On donne le nom d'anglo-normand au dialecte importé en Angleterre qui, sous l'influence de l'anglo-saxon et du français littéraire, était devenu distinct du normand continental. Le normand et l'anglo-normand possèdent tous deux une littérature. »

Autre exemple, pour le français cette fois :

« Le français est une langue romane parlée en France, dont elle est originaire (la « langue d'oïl »), ainsi qu'en Afrique francophone, au Canada (principalement au Québec, au Nouveau-Brunswick et en Ontario), en Belgique (en Région wallonne et à Bruxelles), en Suisse, au Liban, en Haïti et dans d'autres régions du monde, soit au total dans 51 pays du monde ayant pour la plupart fait partie des anciens empires coloniaux français et belge.

La langue française est un attribut de souveraineté en France : c'est la langue de la République française (article 2 de la Constitution de 1958). Elle est également le principal véhicule de la pensée et de la culture française dans le monde.

Parlée par environ 265 millions de personnes selon les estimations officielles[1], elle est une des deux seules langues internationales à être présentes et enseignées sur les cinq continents, une des six langues officielles et une des deux langues de travail (avec l'anglais) de l'Organisation des Nations unies, et langue officielle ou de travail de plusieurs organisations internationales ou régionales, dont l'Union européenne. Après avoir été la langue de l'Ancien Régime, des tsars de Russie en passant par les princes de l'Allemagne, jusqu'aux rois d'Espagne, elle demeure une importante langue de la diplomatie internationale aux côtés de l'anglais.

La langue française a cette particularité que son développement et sa codification ont été en partie l'œuvre de groupes intellectuels, comme la Pléiade, ou d'institutions, comme l'Académie française. C'est une langue dite « académique ». Toutefois, l'usage garde ses droits et nombreux sont ceux qui malaxèrent cette langue vivante, au premier rang desquels Molière : on parle d'ailleurs de la « langue de Molière ».

Cet article est une ébauche à compléter concernant la littérature, vous pouvez partager vos connaissances en le modifiant. »

On comprend bien à la lecture de ces deux exemples que certains liens ou mots soulignés, peuvent être qualifiés de culturellement ou intellectuellement stratégiques. Ils apportent un éclairage cohérent à la question traitée (anglo-normand, langue romane, par exemple). En revanche, la majorité d'entre eux sont totalement anecdotiques, inutiles voire erratiques (littérature, Pléiade, Molière, etc.). Ils n'apportent rien d'essentiel à l'argument. Pourquoi tant de liens, peut-on alors se demander ? parce que le lien c'est le nerf de la visibilité sur internet. Tous ces liens créent du flux, font circuler les internautes qui, partant d'une page donnée se retrouveront, par le jeu d'un infini système de liens dans une page qu'ils ne cherchaient pas. Ce que l'on appelle la « sérendipité » [11].

Évoquons une fois encore le succès sans précédent du film de Dany Boon « Bienvenue chez les Chtis ». Cet exemple est-il une réponse à la question soulevée en introduction à propos de la prétendue contradiction entre l'universel et le particulier ?

---

[11] Sérendipité : ce terme désigne le fait de trouver ce qu'on ne cherchait pas. Du nom d'un personnage de conte persan.

Que reste-t-il du picard d'Armentières dans ces dialogues improbables prononcés par une actrice de renom qui joue à parler *chti*. Pas grand-chose. En tout cas, c'est l'impression désagréable que l'on peut ressentir, par moment, en voyant ce film, admirable par ailleurs et à d'autres égards. Mais, reconnaissons-le, c'est une formidable leçon de différence et de respect de la différence que propose ce film. Pari extraordinaire que d'associer des millions de spectateurs à cette aventure partiellement linguistique, assez largement culturelle et... économique. Mais revenons à l'Internet, ce merveilleux outil de communication interculturelle.

Le mythe de l'universelle médiation, philosophie 'spontanée' de l'internet

La *doxa* de l'Internet est devenue une réalité idéologique parfaitement diffusée dans la société et elle constitue l'une des figures de la pensée de la société de l'information, ou, pourrait-on dire, de l'impensé de cette société. Elle se résume à peu de choses, mais à des valeurs fortes qui font écho à des postures de la modernité dite « citoyenne » : universalité des valeurs positivistes, partage du savoir, égalité des accès techniques aux savoirs, gouvernance par le savoir, transparence de la gouvernance dans une société de la connaissance, etc..

Le débat ouvert aujourd'hui dans la société des chercheurs sur l'accès aux savoirs en est un bon exemple : la circulation des savoirs tend à se réduire à un paradigme unique, l'accessibilité technique aux textes et aux savoirs. La société de la connaissance est universelle dans son principe, elle suppose donc que soit atteinte l'universelle médiation de la connaissance et des savoirs. Et en effet Internet apparaît bien comme l'outil emblématique de cette universelle médiation, sa « philosophie spontanée ».

Mais surgit ici un problème de taille. Le réseau mondial, la toile, est un outil technique qui s'est construit sur la négation même de son histoire en tant qu'objet technique complexe, issu de modèles intellectuels et techniques historiquement situés. Toute l'histoire de la concrétisation de cet objet technique depuis le milieu du siècle dernier se confond avec l'affirmation, issue du siècle des lumières, de l'universalité de la connaissance, où le français a joué un rôle majeur, faut-il le rappeler. Disons les choses autrement, le principe de l'universelle diffusion des savoirs repose sur l'idée d'une validité universelle de certains savoirs et de certaines valeurs. Il ne s'agit pas ici de contester la tendance à l'universalité, en tant que valeur morale, politique, idéologique, de certains contenus, savoirs, notions, ... Il peut être évident que la démocratie (pour dire les choses très schématiquement) soit une valeur universelle ; il convient de rappeler que la démocratie, ce que l'on appelle ainsi, constituée de valeurs morales, politiques, peut tendre à l'universalité. Et que c'est dans cette tension-même que peut se situer un échange interculturel. S'il n'y a pas tensions « différantes »[12], il n'y a pas d'échange. S'il n'y a pas d'identités, il n'y a pas d'échange non plus.

On voit donc qu'un dispositif technique qui repose sur l'idée même d'universalité de contenus (ou l'idée d'une vérité scientifique universellement partageable), et dont l'ensemble des constituants techniques instrumentent cette idée, peut sembler totalement en contradiction avec la notion même de médiation des cultures. La notion de globalisation technique, de réseau unique et universel, est déjà, par elle-même, problématique : l'essence de la technique n'est pas une question technique.

On objectera que c'est tout le contraire, et que l'Internet a pour vocation même d'héberger toute la diversité du monde, et que chacun n'a qu'à s'emparer de l'outil et faire « son marché ». Qu'on trouve précisément de tout sur Internet, et que c'est la meilleure preuve de son ouverture culturelle comme de son universalité.

Seuls les plus naïfs peuvent croire cela. La neutralité de l'outil est un mythe, savamment entretenu par certains tenants de la techno-culture. L'outil porte en lui, dans son principe

---

[12] Référence au concept de « différance », mécanisme différentiateur pour Jacques Derrida.

même, tout un ensemble de formes cognitives, de formes culturelles, de formes « techniques » qui sont héritées, qui sont issues d'une histoire intellectuelle, donc qui sont historiquement, cognitivement et géographiquement situées. Un vecteur neutre est par essence impossible à mettre en oeuvre. Et nous le savons bien : la médiation de savoirs, de langues, de culture est un puissant outil de reformatage, inévitable et salutaire. Salutaire parce que sans ce reformatage permanent, il n'y aurait pas d'interculturalité.

La page web, le menu déroulant, le lien hypertexte, l'illustration dans son rapport inter- et intratextuel sont des formes d'écriture ou de réécriture. Il y aurait intérêt à s'interroger sur les variations formelles entre écriture et réécriture. Mais cela dépasse le cadre de cet article. Quand une forme devient norme, quand une forme rhétorique numérique devient norme d'usage, c'est trop tard, si l'on peut dire. La capacité à percevoir cette forme comme historique, située, voire idéologique, s'est déjà émoussée.

Autre chose : croire à l'universelle médiation technique des savoirs, c'est faire semblant d'oublier que le savoir, comme la science dans sa dimension institutionnelle, est structure, est institution, est histoire.

Universalité et différences

On a vu que les questions que nous soulevons à propos des technologies de l'information et de la communication présentent souvent un aspect paradoxal. La « rencontre » triviale, sur le réseau Internet, de la question de l'universalité face à l'expression de la différence en est sans doute l'élément le plus saisissant ; c'est aussi cette « rencontre » qu'il nous faut approfondir.

Nous sommes à un moment où le monde s'éprouve moins comme un grand « corps vivant » qui se développerait à travers le temps, que comme un gigantesque réseau qui relie des points et qui entrecroise son écheveau. Dans un tel contexte, bien décrit par Michel Foucault, dans « Espaces autres » (Dits

&Ecrits, tome 2), il faut reposer de nouveau la question de l'universalité, universalité qui semble s'imposer à nous depuis le siècle des Lumières, plus comme une ombre tutélaire, quelquefois invalidante, que comme éclairage porté sur des réalités nouvelles qui s'offrent à nous..

Foucault nous dit que la richesse ne vient pas, ne peut pas venir des isotopies – pour parler autrement des recherches de similitudes –, de la recherche ou de la construction de ces isotopies, mais de l'hétérotopie, des hétérotopies spontanées – en d'autres termes de ce qui construit sa différence pour qui veut bien la voir et la comprendre. Cette idée semble s'imposer avec une belle évidence pour nombre de linguistes. Mais en ces temps où la technique triomphante vient prendre le relais idéologique d'un universalisme ordinaire, cette idée est loin d'être la mieux partagée.

Avant toute chose, c'est qu'il n'y a probablement pas une seule culture au monde qui ne constitue, en permanence, pour garantir son existence même, des hétérotopies. C'est là une constante de tout groupe humain. Mais les hétérotopies prennent évidemment des formes qui sont très variées, uniques et peut-être ne trouverait-on pas une seule forme d'hétérotopie qui soit absolument universelle. Cela n'aurait aucun sens de la chercher ?

Mais qu'est-ce qu'une hétérotopie ? C'est, nous apprend Michel Foucault, un lieu autre où se négocie l'identité. On ne peut négocier l'identité dans l'affirmation universelle du même. On ne peut la problématiser que dans des espaces autres. Voilà sans doute la grande leçon de Foucault. C'est aussi pour cela que le dialogue entre nos disciplines peut être fécond, parce qu'il porte des hétérotopies.

Dès lors, et cela apparaît maintenant avec quelque évidence, réduire l'espace « autre » par excellence (l'Internet) à l'exotique superficiel, exclure de cette hétérotopie les modes d'être de cette altérité-là, c'est nier à 80 % l'altérité. On peut formuler les choses autrement : utiliser l'Internet, espace hautement isotopique dans ses formes cognitives et ses normes d'usage, pour négocier son identité, son altérité, présente quelque chose du paradoxe voire de l'aporie.

« Nous habitons une langue, et nous nous servons d'un Mac ou d'un PC », comme dit Régis Debray. On pourrait aussi bien dire : « nous sommes habités par des langues et mon PC se sert de moi. »

Du dialogue des cultures... pour conclure

Régis Debray part du constat assez terrible de la difficulté du dialogue des cultures. Il dénonce la duplicité des discours et cette « verbosité œcuménique » qu'il appelle la « théologie civile du dialogue »[13] . Par culture, dit-il, il faut entendre « tout ce qu'une société s'accorde à tenir pour réel et qui la définit. »[14]. Comment dès lors penser le fait technique, partie intégrante de la culture, quand le fait technique devient le « *one world* socio-économique », bâti sur l'ignorance ou la négation de la diversité des cultures ?

Nos systèmes techniques couvrent un espace de plus en plus vaste avec une durée de vie de plus en plus courte ; quand nos cultures nationales sont circonscrites et installées dans l'histoire, à Pékin, Damas, Oslo, les mêmes escalators, les mêmes écrans plats, les mêmes ordinateurs. Et pourtant le Parisien ou le Normand seront toujours dépaysés par les caractères arabes ou hébreux, le chant du muezzin ou par le hochement de tête de l'Indien péruvien. La culture fractionne, diversifie, identifie ; la technique unit selon le plus petit commun dénominateur.

Régis Debray remarque qu'il y a 3000 langues parlées dans le monde et seulement trois écartements de rail pour les voies ferrées, deux voltages électriques, et une seule organisation de l'aviation civile. Donc, conclut Régis Debray, « Nous habitons une culture, non une technique. Nous habitons une langue, mais nous nous servons d'un ordinateur. Internet structure le monde

---

[13] Debray, 2007, p. 13
[14] Debray, 2007, p. 29

comme un réseau, c'est un fait. Mais structurer le réseau comme un monde, c'est une tout autre affaire. Un monde, je veux dire une mémoire partagée, un territoire, une langue commune » [15]. Un système technique ne peut pas créer un sentiment d'appartenance. Il n'a ni physionomie, ni saveur de peau. Le réseau ferré et routier européen, indispensable pour faire l'Europe, ne suffit pas à faire l'Europe, ni à créer un sentiment d'identité européenne. La culture, c'est donc le lieu de la confrontation puisque c'est là que se forgent les identités, dans l'alter[c]ation nécessaire avec un autre que soi.

Le dialogue des cultures, c'est donc d'abord l'acceptation radicale de ces identités autres que la mienne. Mais pas cette civilité molle. C'est ensuite le renoncement tout aussi radical à cette sorte de droit d'aînesse qui permettrait de se prévaloir du beau, de la vérité ou du bien. Il faut donc attacher du prix à tout ce qui nous sépare. La civilisation consiste à préserver la diversité des cultures sans lesquelles il n'y aurait pas de dialogue. Une technologie qui reposerait sur l'idée simpliste que nous pourrions tous parler le même langage (pas la même langue) rendrait définitivement impossible le dialogue des cultures. C'est l'enjeu majeur auquel nous sommes confrontés : repenser la technique comme partie intégrante de la culture.

Bibliographie

CHEVALIER Y., 2006, *Do you speak television ? Apprentissages médiatiques et compétences sociales*. E.M.E.

CHEVALIER Y., 2005, « Vers une théorie des systématicités discontinues. Identité et différence », in *Foucault à l'œuvre*, Chevalier Y. et Loneux C. (eds), pp 179-192.

CHEVALIER, Yves et LONEUX, Catherine (2005), *Foucault à l'oeuvre. Deux années de lectures.*

foucaldiennes dans un laboratoire de SHS. EME (Editions Modulaires Européennes), 250 p.

COMPAGNON A., 1979, *La seconde main ou le travail de la citation*, Seuil.

---

[15] Debray, 2007, p. 32

DEBRAY R., 2007, *Un mythe contemporain, le dialogue des civilisations*, CNRS Editions.

DERRIDA J., 1967, *L'écriture et la différence*, Editions du Seuil.

FLICHY P., 2001, *L'imaginaire d'Internet*, La Découverte.

FOUCAULT M., 2001, « Espaces autres », dans *Dits et Ecrits*, Tome 2, pp 1571-1581, Gallimard.

JULLIEN F., 2008, *De l'universel, de l'uniforme, du commun et du dialogue entre les cultures*, Fayard.

KANT E., 1967, [1785] *Fondements de la métaphysique des mœurs*, Première section, pp 88-109, Ed Delagrave.

VANDENDORPE Ch., 1999, *Du papyrus à l'hypertexte. Essai sur les mutations du texte et de la lecture*. La Découverte.

WOLTON D., 2000, *Internet. Petit manuel de survie*. Avec Olivier Jay, Flammarion.

TABLE DES MATIÈRES

Espaces Discursifs

Collection dirigée par Thierry Bulot

La collection *Espaces discursifs* rend compte de la participation des discours (identitaires, épilinguistiques, professionnels...) à l'élaboration/représentation d'espaces – qu'ils soient sociaux, géographiques, symboliques, territorialisés, communautaires,... – où les pratiques langagières peuvent être révélatrices de modifications sociales.
Espace de discussion, la collection est ouverte à la diversité des terrains, des approches et des méthodologies, et concerne – au-delà du seul espace francophone – autant les langues régionales que les vernaculaires urbains, les langues minorées que celles engagées dans un processus de reconnaissance ; elle vaut également pour les diverses variétés d'une même langue quand chacune d'elles donne lieu à un discours identitaire ; elle s'intéresse plus largement encore aux faits relevant de l'évaluation sociale de la diversité linguistique.

Derniers ouvrages parus

Daniele MORANTE, *Le champ gravitationnel linguistique. Avec un essai d'application au champ étatique* – *Mali*, 2009.
Médéric GASQUET-CYRUS, Cécile PETITJEAN (Sous la dir.), *Le Poids des langues, Dynamique, représentations, contacts, conflits*, 2009.
Pierre LARRIVÉE, *Les Français, les Québécois et la langue de l'autre*, 2009.
Valentin FEUSSI, *Parles-tu français ? Ça dépend... Penser – agir – construire son français en contexte plurilingue : le cas de Douala au Cameroun*, 2008.
Jan Jaap de RUITER (Sous la dir.), *Langues et cultures en contact. Le cas des langues et cultures arabes et turques en France et aux Pays-Bas*, 2008.
Patrick MATHIEU, *La double tradition de l'argot*, 2008.
Claudine MOISE, Nathalie AUGER, Béatrice FRACCHIOLLA, Christina SCHULTZ-ROMAIN, *La Violence verbale. Tome 2 : Des perspectives historiques aux expériences éducatives*, 2008.
Claudine MOISE, Nathalie AUGER, Béatrice FRACCHIOLLA, Christina SCHULTZ-ROMAIN, *La Violence verbale. Tome 1 : Espaces politiques et médiatiques*, 2008.

L'HARMATTAN, ITALIA
Via Degli Artisti 15 ; 10124 Torino

L'HARMATTAN HONGRIE
Könyvesbolt ; Kossuth L. u. 14-16
1053 Budapest

L'HARMATTAN BURKINA FASO
Rue 15.167 Route du Pô Patte d'oie
12 BP 226
Ouagadougou 12
(00226) 50 37 54 36

ESPACE L'HARMATTAN KINSHASA
Faculté des Sciences Sociales,
Politiques et Administratives
BP243, KIN XI ; Université de Kinshasa

L'HARMATTAN GUINEE
Almamya Rue KA 028
En face du restaurant le cèdre
OKB agency BP 3470 Conakry
(00224) 60 20 85 08
harmattanguinee@yahoo.fr

L'HARMATTAN COTE D'IVOIRE
M. Etien N'dah Ahmon
Résidence Karl / cité des arts
Abidjan-Cocody 03 BP 1588 Abidjan 03
(00225) 05 77 87 31

L'HARMATTAN MAURITANIE
Espace El Kettab du livre francophone
N° 472 avenue Palais des Congrès
BP 316 Nouakchott
(00222) 63 25 980

L'HARMATTAN CAMEROUN
BP 11486
Yaoundé
(00237) 458 67 00
(00237) 976 61 66
harmattancam@yahoo.fr

590437 - Décembre 2014
Achevé d'imprimer par